Poglavnikova bakterija

v|b|z   ZAGREB

v|b|z

biblioteka
AMBROZIJA
knjiga 191.

glavni urednik:
Nenad Rizvanović

Boris Dežulović
Poglavnikova bakterija

copyright © za hrvatsko izdanje
V.B.Z. d.o.o.
10010 Zagreb, Dračevička 12
tel: 01/6235-419, fax: 01/6235-418
e-mail: info@vbz.hr
www.vbz.hr

za nakladnika:
Boško Zatezalo

urednik:
Nenad Rizvanović

lektura i korektura:
Ivana Zima Galar

grafička priprema:
V.B.Z. studio, Zagreb

tisak:
Impress, d.d., Ivančna Gorica, Slovenija,
lipanj, 2007.

Boris Dežulović
Poglavnikova bakterija

v|b|z   ZAGREB

2007.

v|b|z biblioteka
AMBROZIJA
knjiga 191.

copyright © 2007. V.B.Z. i Boris Dežulović

Copyright © 2007. za hrvatsko izdanje:
V.B.Z. d.o.o.
Zagreb

CIP zapis dostupan u računalnom katalogu
Nacionalne i sveučilišne knjižnice u Zagrebu
pod brojem 640251.

ISBN: 978-953-201-733-5 (meki uvez)

sadržaj:

7   **Velika laž Bepa Partugolotovog**

23   **Batman: the beginning**

35   **Crveni šejtan**

45   **Smrt**

73   **Poglavnikova bakterija**

117   **Bijela točka**

Velika laž Bepa Partugolotovog

DA JE UMRO UGO K., stari ribar bez kaži-prsta i srednjaka desne ruke, saznao sam tek godinu dana kasnije. U novinama, ispod stare fotografije s pečatom Narodne Republike Hrvatske u kutu, stajala je zahvala osoblju Odjela onkologije splitske bolnice i svima koji grob kite cvijećem, te kratka poruka – »nono ne brini, ja ću gledat na mamu«.

U priči koja slijedi ostali smo, dakle, živi još samo Bepo i ja, ukoliko je i on još živ. Kad sam ga posljednji put vidio imao je više od sedamdeset i – mada u snazi i živih pokreta – iz grla su mu umjesto riječi izlazile tek prljavo žute krpice duhanskog kašlja. Ne zato što u to nisam bio siguran – u to, naime, je li Bepo još živ – već i zbog razloga o kojima ću pričati kasnije, moglo bi se reći da sam tako, nakon Ugove smrti, ostao jedini živi vlasnik prave istine o Bepovoj legendi, istine od koje je i on sâm, kako ćemo vidjeti, odavno odustao.

* * *

Uga K. upoznao sam prije točno deset godina, jednoga od onih dana na koje Otočani misle kad ljeti govore kako je jeben život na Otoku zimi, kad ih tjeskobni jugozapadni vjetar pomete s rive i nagomila u zabijene kutke, u hrpice, poput crvenoga lišća divlje loze s odrina – mlađi svijet u barove uređene u nekadašnjim konobama, a starije u Pučku čitaonicu. Oko velikih stolova na kojima se igraju briškula, šah ili domino, umorni se starci zbrajaju, rekonstruiraju rodoslovna stabla i otkrivaju nove, nepoznate detalje drevnih predaja i mjesnih mitova.

Prilika koja me dovela u zadimljenu Pučku čitaonicu nije važna za ovu priču. Legendu o Bepu ionako sam znao otprije, a do nje smo u razgovoru nabasali sasvim slučajno, kad je posao zbog kojega sam došao već bio obavljen, neobavezno ćakulajući o mome djedu, kojega stariji mještani i danas spominju kao najljepši glas u pamćenoj povijesti crkvenog zbora, ali i najveću otočku ljubavnu batinu, o kojoj su kružile priče čudesne i nevjerojatne kao i ona o Bepu Partugolotovom, čovjeku koji je golim rukama uhvatio morskog psa.

Moj djed Milan, kao i svaki Otočanin, mogao je birati između dva života – na otoku i na moru – i izabrao je otok, objašnjavajući jednostavno kako čovjek nije srdela. Svemogući je Bog samo jednog čovjeka napravio da hoda po vodi – govorio je on, iako su svi znali da je život na otoku izabrao zato što na moru nema žena i što sirene ne postoje. Radio je u tvornici sardina – Fabrici, kako su je zvali na Otoku – gdje je s Nikotom, unukom Zorzija Portugalca, na tvorničkoj traci znao tako zapjevati da bi se cijela velika hala načas pretvorila u crkvu. Svi bi u gotovo religioznom zanosu slušali djedov tenor i Nikotov šekondo, zbog čega je veliki stroj, kaže njihova legenda, svaki dan zatvarao i do stotinjak praznih konzervi. I nakon što bi ih nadglednik smjene razdvojio, oni su se svojim glasovima ponovo nalazili, nadglasavajući strojeve i omamljujući radnike na traci, pa je – pričalo se – vlasnik tvornice intervenirao kod župnika, ne bi li ih ovaj nekako uvjerio da je bogohulno svete pjesme pjevati u smrdljivoj Fabrici.

Bit će da zbog toga nadglednik nije prijavljivao Nikota kad ga je u Fabrici mijenjao njegov rođak, Portugalčev mlađi unuk Bepo. A bilo je to svaki put kad bi se oko Lanterne pojavila golema jata srdela, i kad je na ribaricama trebao svaki par otočkih ruku. Ribari, naime, Bepa nisu htjeli na brodu, iako je bio čudesno vješt mali ribolovac, jer njima nisu trebala djeca koja znaju izvući dva kilograma tešku komarču, već par snažnih ruku koje mogu izvući pet kvintala srdela. A bio je taj Bepo i blago zaostao u razvoju, mada poznat po dosjetkama i uncutarijama kakve ne bi pale na pamet ni onima što im je Bog dao pameti da po njoj padaju mnogo veće i važnije stvari.

Bepo, Bepo Portugalčev, pomislio sam.

— Je li to Bepo Partugolotov, onaj što je golim rukama ulovio morskoga psa? — upitao sam starce za stolom.

— Da, to je on — odgovorio mi je tada Ugo K. — A ti znaš za tu priču, je li?

— Naravno da znam — rekao sam.

Naravno da sam znao priču o Bepu Partugolotovom, ona je odavno već pripadala živoj povijesti Otoka, kao i slavne priče o čuvenom otočkom vinu koje je Gaju Juliju Cezaru bilo čarobnim napitkom pred pohod na Britaniju, ili o drugom jednom velikom Rimljaninu, samom Svetom Ocu Papi, koji se za davne jedne garbinade sklonio ovdje na putu za Mletke. Istina, Bepovu priču nisam čuo u nekom od otočkih lokala, u kojima se i danas čuva, jer na Otoku nikad nisam živio, već jedne od onih splitskih nedjelja kad nam je tetka donosila pogaču od slanih srdela, kad se igrala tombola i govorilo tajnim otočkim jezikom čudnih slogova, čarobne melodije i nedokučivih ritmova.

Iz nekog potpuno nepoznatog razloga, kao po nepisanom obiteljskom statutu, nikad na tim sjedjeljkama nisu razgovarali sugovornici najbliži jedan drugom, već isključivo oni sa suprotnih krajeva stola, pa bi se nedjeljni ručak brzo pretvorio u grleni kaos razuzdanog smijeha, promukle pjesme, žučnih rasprava i nevjerojatnih priča. Iz takve sam jedne kakofonije prvi put razabrao Bepovo ime i neobičan mu nadimak – Partugolotov – shvativši tada samo da je taj osobenjak jednom napravio nešto potpuno suludo. Cijelu sam priču složio tek kad sam naučio tajni otočki jezik od neobičnih, valovitih i izduženih riječi, čitavih od slovâ »c« i »z«.

Proći će petnaest godina prije nego što, sjedeći s Ugom K. u Pučkoj čitaonici na Otoku, ponovo na tom jeziku čujem ime Bepa Partugolotovog i legendu o njegovom čudesnom pothvatu. Događaj o kojemu je riječ morao se zbiti negdje početkom sedamdesetih, jer su se nakon kraće rasprave i Ugo i njegovi veterani složili da je to bilo one godine kad je na Otoku sagrađen hotel. Zaključio sam da je to najvjerojatnije bilo iste one godine kad sam na obiteljskom ručku prvi put čuo njegovo ime, što znači da otac i njegova braća nisu onomad pričali o legendi, već o nečemu što se na Otoku upravo bilo dogodilo, i ta je spoznaja bila upravo dječački uzbudljiva.

Te smo sedamdeset i neke, kao i svake sedamdeset i neke, bili na godišnjem odmoru na Otoku i možda bismo – da smo ostali još dan-dva – i mi na plaži vidjeli kako Bepo s morskim psom pod rukom izlazi iz mora i odlazi u legendu.

* * *

Bilo je toplo i tiho rujansko jutro te sedamdeset i neke u otočkom portu, gdje je Bepo Partugolotov, kao i svakoga svoga jutra, čekao da se ribari vrate s mora i bace mu konope koje će on spretno pohvatati u zraku i vezati oko kamenih kolona na mulu. Na palubi jedne ribarice toga je jutra ugledao u mrežu zarobljenog morskog psa modrulja, prilično velik komad beštije – moglo je u njemu biti, kad se oljušte svi slojevi višegodišnjeg prepričavanja i preuveličavanja, nešto više od dva, možda dva i pol metra.

Bepo, čovjek priprost i malo pomaknut na svoju stranu, čiji je cijeli dotadašnji život mogao stati u konzervu sardina, imao je svoje trenutke – možda kratke poput života sunčeva bljeska na krijesti sjevernog vala, ali bistre i nepredvidljive poput najsloženijih šahovskih poteza. U jednom takvom trenutku gledao je u mrtvo, crno oko velike psine na palubi ribarskoga broda, i već u sljedećem trenutku imao je plan.

Legenda dalje pripovijeda kako je Bepo umolio ribare da mu posude psa na dva-tri sata, kako su se oni smijali i pitali ga što će raditi s crknutim morskim psom tri sata, kako je mrtav ozbiljan odgovorio da će im ga vratiti, da će i platiti ako treba, odradit će čisteći palubu i mreže, samo neka mu pozajme veliku plavu beštiju na par sati. I više iz znatiželje nego što su oni bili dobri ljudi da ispunjavaju želje mjesnim redikulima, ribari su Bepu posudili psinu, premda im on nije želio odati kojega će mu vraga uopće morski pas modrulj od dva i pol metra, i to samo na dva-tri sata.

Legenda dalje kaže kako su ribari pomogli potom privezati modrulja uz Bepovu malu, tamnoplavu drvenu brodicu jedva koji pedalj dužu od zvijeri, nakon čega je Bepo – morao je izgledati poput Hemingwayevog nesretnog starog Santiaga – odveslao prema Punti. Nadomak plaži ispred novoga hotela, na samom kraju žala, tamo iza oštre sive hridi, Bepo je vezao svoj brodić i u more duboko niti metar spustio lešinu morskog psa. Potom se skinuo, za suknene gaće zadjenuo veliki nož, i pridržavajući psinu pod desnom rukom skutrio se iza velike stijene.

Legenda dalje kazuje kako je Bepo tu čekao satima, sve dok se žalo pred hotelom nije napunilo turistima, ružičastim debelim kontinentalcima s luftmadracima i luftbalonima, pohanom piletinom, paštetama, paradajzom i neodgojenom djecom, i kako je onda Bepo s mrtvim modruljem pod rukom polako skliznuo iza stijene, da bi u moru koje mu je dosezalo do žute brade lagano stigao do plaže, nadomak prvih kupača, tu duboko udahnuo i tiho se spustio pod površinu.

Legenda o Bepu Partugolotovom dalje priča kako je, jednoga vrelog jutra s kraja ljeta sedamdeset i neke, omaru na hotelskoj plaži zaparao dugačak, jeziv krik pomiješan s morskom pjenom, i kako su se prestravljeni kupači okrenuli prema stijenama na kraju žala. Tamo je, uz neljudski urlik, iz crvenog vrtloga izronio mršav muškarac žute brade s velikim nožem u desnoj ruci – »ljudi, to je Bepo!« – a za njim silueta neke goleme životinje, poput dupina ili morskoga psa – »jest, morski pas!« – pa su onda obojica nestali pod površinom, da bi nakon dvije sekunde vrele tišine izobličeni ženski glasovi stali dozivati djecu, a ljudi u panici istrčavati iz mora, zapinjući i padajući jedni preko drugih.

Onda je Bepo iznenada izronio iz mora, sijevnula je oštrica noža, pa je opet nestao u pjeni, potom je zrak zasjekla trokutasta peraja, krvave su ralje izletjele iz vira, pa ponovo ruka s nožem, oštrica zabijena u crno oko nemani, jedan put, dva puta, bjelasao se zlokobno trbuh velike ribe, uvalom odjekivali krikovi s obale – »zovite miliciju, neka netko zove miliciju!« – ruka, nož, krv, ralje, pjena, peraja, čovjek, zvijer, vrisak, pa opet ruka, nož, krv, ralje, pjena, i tako, vele, punih deset minuta, čitavu vječnost trajala je epska borba čovjeka i nemani, sve dok na koncu iz vrtloga slane krvi polako, iscrpljen i krvav, nije izašao Bepo Partugolotov.

Teškim korakom, s velikim nožem u lijevoj ruci i dva i pol metra dugačkim morskim psom pod desnom, doteturao je Bepo do plićaka, gdje je golemo modro truplo spustio na dno, da mu leđna peraja viri nad površinom i poput Svečevih moći navuče zaprepaštene poglede ružičastih turista, zatim je oprao nož u moru i zadjenuo ga o konop vezan oko gaća, oslonio se dlanovima o koljena, iskašljao oblačić morske prašine i glasno izustio: »Jeba mu pas mater!«

Toga jutra Bepo je bio veliki junak, kliktali su njemu u čast svi otočki galebovi i svi ruski fotoaparati, slikale se s njim sve žene i sva djeca na plaži, virili su debeli crveni muškarci u razjapljene čeljusti morskoga čudovišta, a onda, kao poniženi, dizali poglede prema mršavom Bepu, koji im je objašnjavao da morski psi, suprotno raširenom vjerovanju, zapravo najčešće napadaju upravo u plićaku, da modrulji pak rijetko napadaju ljude i da ne zna zašto je ovaj došao do plaže, da je luda sreća što se on toga jutra zatekao tu, vadeći volke za lov na komarče, još luđa što je uza se imao nož, a najluđa da je sreća što je psinu pogodio u oko, i to iz prve, jer jedini je način da preživite napad morskoga psa, tumačio je Bepo još uvijek teška daha, da ga ubodete u oko, nožem, šilom, iglom za mreže ili prstom, bilo čim.

Onda je podigao njušku psine i krenuo nožem izvaditi jedan trokutasti zub lijepoj Slovenki za uspomenu, ali u trenutku kad je zabio oštricu u modruljeve desni lijepa se Slovenka zaljuljala i onesvijestila, pa je Bepo samo zagrgoljao osmijehom širokim i još krvavim od dugačke, okomite brazgotine, pokazujući najprije u ralje na žalu, pa u svoja mala, krezuba usta u sivožutoj bradi.

* * *

Tako je rođena legenda o Bepu Partugolotovom, čovjeku koji je prije puno godina zajebao goste hotela i odglumio da je golim rukama ubio morskog psa dugog dva i pol metra i teškog sto pedeset kilograma. Kao da to nije bilo dosta, na plaži se slučajno zatekao i jedan beogradski novinar s obitelji, pa je u »Ilustrovanoj politici« uskoro izašla opširna reportaža s fotografijom, vijest o senzacionalnom događaju i intervju s Bepom objavila je i »Slobodna Dalmacija«, a onda i brojne druge novine – kažu da su i neki svjetski magazini tih dana imali priču s dalekog Otoka, na kojemu je jedan mjesni ribar sam u plićaku ubio morsku psinu i spasio punu plažu kupača.

Ugo K., ribar kojemu je sajla na ribarici prije mnogo godina odsjekla kažiprst i srednjak desne ruke, novinarima je naposljetku odao ono što je dotad već znao čitavi Otok – da je cijeli spektakl Bepo zapravo vješto odglumio, da su mu ribari posudili psa i pustili ga da uživa u svojih pet minuta slave, sve dok nije došla smjena gostiju, i da su mu zbog uspjele predstave na kraju čak i poklonili mrtvog modrulja da ga preparira, onako cijelog unakaženog i izbušenog nožem. Lešinu mu je balzamirao neki splitski patolog u penziji, eno je na zidu u konobi none Lukrice, njegove babe po majci, jer u Bepovu konobicu na Maloj strani velika modra mumija nije mogla ni ući.

Da, Ugo K. je bio član posade koja je onoga davnoga ljeta sedamdeset i neke u mrežu ulovila morskoga psa modrulja dugačkog dva metra i trideset pet centimetara. Saznao sam to u Pučkoj čitaonici na otočkoj rivi, dok sam s njim razgovarao o mom djedu Milanu, Nikotu Partugolotovom i njegovom maloumnom rođaku Bepu, a tamnoputi neki mještanin ozbiljno mi objašnjavao kako je i sama riječ »psina«, kao izraz za podvalu, nastala upravo iz legende o Bepu i psini koju je priredio izbovši morsku psinu nožem, baš onako doslovce namrtvo, zajebavši punu plažu turista i novinara.

Prepričavo je Bepo svoju psinu godinama, s istim žarom u očima i istim bezubim osmijehom u sivožutoj bradi – samo je neman svih tih godina narasla do dobra četiri metra i dvjesto pedeset kilograma – uživajući poput djeteta u urnebesnom smijehu okupljenog društva svaki put kad bi se na vrhuncu priče pridigao od stola, oslonio rukama o koljena i ispustio dugi uzdah – »jeba mu pas mater!«

Živi svjedoci te njegove čuvene psine, među kojima je Ugo K. bio posljednji, klimali bi na to glavama – »jest, baš je tako bilo« – a on bi na koncu iz gornjega džepa prastarog radničkog kombinezona izvadio požutjelu i četiri puta presavijenu stranicu »Ilustrovane politike« na kojoj nitko više ni slova nije razumio – malo što je stranica bila poluraspadnuta, malo što je tekst bio na ćirilici – i pokazao fotografiju na kojoj se nazirala tanka i tamna figura već tada proćelavog, ali mnogo mlađeg Bepa Partugolotovog, u smiješnim, prevelikim suknenim kupaćim gaćama, pored lešine morskoga psa ispružene na žalu.

Vrag će ga znati zašto baš mene – a najvjerojatnije zato što muškarci u svom kukavičluku i najdublje strahove i najveću sreću i najintimnije želje i najmračnije tajne lakše povjeravaju potpunim strancima – tek toga me dana stari ribar Ugo K. izvukao iz čitaonice i odveo na kraj dugačkoga mula da bi tamo, sakriven garbinadom, baš meni, Milanovu unuku, priznao svoju mračnu tajnu. On će mi reći istinu o Bepovoj legendi, da je čuvam i sačuvam, jer ja pišem i zapisujem, a on je, koliko mu je poznato, jedini koji je zna, i više ne može niti želi držati je za sebe.

Strah ga je, priznao mi je Ugo K., da je ta mračna tajna poput nekakvoga drevnog prokletstva, jer su od njih petorice s onoga ribarskoga broda četvorica već odavno mrtva, Andriji se ni groba ne zna, a on da je živ po svemu sudeći samo zato da sačuva pravu istinu, što mu već gotovo dvadeset godina leži na srcu i pritišće ga iznutra, pa da tako spasi i Bepovu istinu i svoju dušu. Reći će mi stoga što se zapravo dogodilo onoga rujna na hotelskoj plaži, i neka se ne bojim prokletstva jer nisam ja bio s njima petoricom na brodu. Mislili vi što hoćete, Ugo K. je nakon toga poživio još punih devet godina i doživio lijepe osamdeset i dvije.

Istinu o Bepovoj legendi zapisao sam onako kako sam je tada čuo, a ti što je sad čitaš moraš znati i to da je, nema tome dugo, umro i glavni junak, Bepo Partugolotov. Znaš to jer ova se priča neće tiskati za njegova života, života koji bi ionako cijeli stao u konzervu sardina da nije bilo legende o golemom morskom psu što ga je, ima tome sada već više od trideset godina, podvalio turistima, mrtvoga ga iskasapivši u nevjerojatnoj predstavi o herojskoj borbi čovjeka i najkrvožednije zvijeri koja je ikada krstarila morskim dubinama.

* * *

A prava je istina, ispričat će mi Ugo K., da je Bepo Partugolotov onoga jutra - nakon što je dočekao ribare s mora, spretno pohvatao konope i zakačio ih o kamene kolone na mulu – svojom tamnoplavom brodicom zasjekao bonacu prema Punti u potrazi za crvima i volcima, s namjerom da poslije baci udicu na svojoj pošti od komarči. Prava je istina da ga je u moru pred hotelskom plažom trgnula nekakva velika sjena iza leđa, da se okrenuo i sa užasom ugledao psa modrulja kako nervozno zamiče iza stijene, da mu se već sljedećeg trenutka opet našao pred licem, i da je u trenutku kraćem od života sunčeva bljeska na krijesti sjevernog vala, a bistrom i nepredvidljivom poput najsloženijeg šahovskih poteza, zamahnuo nožem i zario ga u crno, bezizražajno oko.

Istina je da je životinja pomahnitala i u divljem lupingu zagrizla oštricu, da ga Bepo u samrtnom strahu i šoku nije puštao i da ga je neman tako cijeloga prevrnula, onako kako krokodili izvrću svoje žrtve i lome im kosti, da je u krvavom vrtlogu Bepo oslobodio nož i opet ga zabio u zvijer, pa opet, i opet, strašno urlajući, i opet, po moru, po psini, po pjeni, svugdje, čitavu vječnost.

Prava je istina da su nekoliko minuta kasnije u more skočili neki Bepu nepoznati muškarci, uhvatili ga za noge i izvukli u plićak, da je on i dalje bjesomučno mlatio nožem po velikoj ribi, da je ona još samo repom davala povremene znakove života, da se more pred hotelom crvenilo od krvi i da su neke žene vrištale, da su se svi – a točno, bio je tu i novinar »Ilustrovane politike« – željeli slikati s Bepom i masakriranim čudovištem ralja razjapljenih u samrtnom hropcu, morskim psom modruljem dugačkim, neka se i to zna, točno dva metra i trideset pet centimetara i teškim stotinu i dvadeset šest kilograma, kojega je Bepo Partugolotov ubio vlastitim rukama.

Istina je, ispričao mi je Ugo K., njen posljednji svjedok, da su se krikovi, metež i zapomaganje s plaže čuli do porta, i da su se njih petorica u dva brodića odmah uputila tamo, taman na vrijeme da veslima zatuku već mrtvu psinu. Prava je i jedina istina, točno kako slijedi, da su te večeri Ugo K. i četiri ribara s njegove ribarice u Pučkoj čitaonici svima ispričali strašnu laž – da su oni Bepu Partugolotovom posudili psa i da je on makakadu na punoj plaži izveo s njihovim modruljem, svima su ispričali kako su turisti na plaži povjerovali da je Bepo stvarno golim rukama ubio čudovišnu ribu, kako ga je neki beogradski novinar čak i slikao, i kako je sve to skupa tako dobro izveo da su mu tu pozajmljenu psinu, eto, i darovali, da je preparira i sačuva u spomen na najluđu psinu koju je itko ikad na Otoku priredio.

Prava je istina da se Bepo u nonotov grob kleo da Ugo laže, da je vikao i mahao rukama opisujući kako je svojim rukama ubio crnooku beštiju – evo ovako je ubo u oko! – da su se svi do suza smijali i nagovarali Bepa da ispriča još jedanput, a on da je prijetio i Ugu i Andriji i Vinku, skakao i plakao i zaklinjao se da je zaista sâm ubio morsku neman. Istina je da je plačući pitao Uga zašto laže, i da ni Ugo sam to nije znao, i da je ta njihova laž bila jednako naravna i ljudska kao što je naravno svako ljudsko zlo.

Prava je istina da je od golemoga šoka kojega je doživio to jutro, i još većega nemoćnog bijesa što ga je nakupio u prsima tu večer, upravo dakle zbog toga i upravo tada, te večeri u Pučkoj čitaonici, Bepo Partugolotov blago šenuo pameću.

Istina je i to da je Bepo nakon nekog vremena uvidio kako je ljudima teže povjerovati da bi on takav, kratke i spore pameti, bio u stanju smisliti predstavu s morskim psom, nego da bi ga, onako lud, bio u stanju svojim rukama ubiti. Istina je, najzad, da je i sâm bio uvjeren kako bi lakše ponovo golim rukama uhvatio modrulja nego smislio takvu neku kolosalnu podvalu, i da mu Ugova laž stoga i nije više bila tako nepravedna i bolna. Istina je, naime, da je u očima slušatelja u Pučkoj čitaonici ponekad prepoznavao i veće divljenje i strahopoštovanje nego onda na hotelskoj plaži, pa je naposljetku prihvatio Ugovu priču, dodajući joj u toj igri stalno nove slikovite detalje, poput onoga da se sâm nožem zasjekao po obrazu, pa preko obje usne, kako bi turistima slagao da ga je to modrulj u smrtnom grču repom presjekao ispod oka.

Prava je istina da je s godinama Bepo počeo vjerovati u tu nevjerojatnu priču, ukrašavao je novim i novim šahovskim potezima i svake godine dodavao pokoji centimetar modrulja, pokojega novinara i pokoju Slovenku, te da se i onoga dana kad sam ga upoznao u Pučkoj čitaonici glasom prozirnim poput duhanskog dima kleo u nonotov grob da je sve to živa istina, to da mu je Ugo K. posudio golemog mrtvog modrulja i da ga je pred punom plažom bacao i klao po moru umorivši se više nego da se borio sa živim, »jeba mu pas mater!«.

Što se Bepa Partugolotovoga tiče, on je živio još samo za takve trenutke - one kad bi ga klinci uvukli u kafić da za crnu bevandu Vukovarcima za šankom ispriča neku od svojih glasovitih bufonada, poput one kad je Vice u čitaonici zaspao, a on ugasio svjetlo i nagovorio sve unutra da u potpunom mraku mirno razgovaraju i kartaju, čitaju novine i igraju šah, i kad se Vice probudio uvjeren da je oslijepio, otrpjevši teži slom živaca.

Na kraju je, za zadnju turu pića, uvijek išla njegova kraljevska, već opjevana i prilično uveličana podvala, ali jedina nepobitno dokazana, s požutjelom stranicom »Ilustrovane politike« iz Bepova trliša, ona dakle kad je neviđeno zajebao bataljun novinara koji su u hotelu imali neki simpozij, i odglumio im da je golim rukama nasmrt izbo morskog psa dugačkog pet metara i teškog tri stotine kilograma, nakon čega je izašao u svim jugoslavenskim novinama i mjesec dana turnjao Slovenke u konobi none Lukrice, ispod bijelog trbuha preparirane nemani.

Onako kako već nastaju mitovi, tako su poslije Bepu pripisivane i mnoge druge psine, ili potpuno izmišljene ili nečije tuđe, poput one sa zaspalim Vicom ili, recimo, one kad je Prošperu iz Gornjeg Sela, čovjeku patuljasta rasta, uvalio rakiju od magarećih i kozjih brabonjaka, uvjerivši ga da će od nje za tjedan dana narasti cijeli pedalj, a onda mu svakoga dana u Pučkoj čitaonici krišom pomalo skraćivao štap, pa se jadnik na kraju hvalio da je doista, sudeći po štapu, narastao dobrih desetak centimetara.

Naravno, i ta je priča bila laž, kao i sve ostale navodne Bepove psine, ali zalud je Profesor upozoravao kako svi znaju da je to sa štapom čuvena smicalica kipara Ivana Rendića, kad je ono uvjerio velikog slikara Celestina Medovića da zahvaljujući njegovim travama raste, kao što je Rendićeva i ona podvala s ugašenim svjetlom, i da ni jedna ni druga priča nemaju nikakve veze s Bepom, kao što je nema ni ona s Beograđanima kojima je prodao priču kako je uhvatio slanu srdelu od tri kilograma, ni ona s petokrakom hobotnicom, i niti jedna od svih koje su godinama pripisivane nesretnom Bepu Partugolotovom, priprostu duhu koji je od svih živih bića na svijetu znao prevariti samo komarču.

Ako je, u stvari, netko nekome nekada na Otoku tako podvalio, onda je to bio onaj hohštapler iz Splita koji je Bepovu neman balzamirao tako da se već do svete Kate pretvorila u bezobličnu, smrdljivu hladetinu i raspala po podu konobe, po turnju, badnjima i bačvama, pa je nona Lukrica morala u more baciti tristo litara usmrđenoga plavca. Pa ipak, premda je sve to bilo nesumnjivo točno, Bepo je Partugolotov svejedno ostao zapamćen kao posve osebujan redikul, koji je u rijetkim bistrim trenucima smišljao najsloženije i najduhovitije psine.

* * *

To je, eto, sva istina o čovjeku kojega je život gurnuo u ralje morskom psu da bi naučio zašto je laž bolja od istine, privlačnija od nje čak i kad je istina nevjerojatnija ili, za razliku od laži, posve nemoguća. Životu Bepa Partugolotovog, koji je do toga dana čitav mogao stati u konzervu sardina, jedna je takva laž dala smisao kakvoga mu nijedna istina nikad ne bi mogla dati, pa sve da je župnikova istina jedina i da je Isukrst na križu otkupio i Bepovu laž.

Bepo se, na koncu, ionako više od svega bojao da ga tamo, na onim morima, čeka i zvijer koju je svojim rukama ubio i njenu veličanstvenu smrt prodao za turu pića, i draži mu je bio ovaj mali, preslani i prljavi život, u kojemu se s jednom jedinom laži da posve lijepo živjeti.

Ima ih, vidite, koji su nožem ubili i živa čovjeka, a kamoli običnoga modrulja, ali – priznajte – tko je još u stanju smisliti takvu psinu i satima čekati skriven u plićaku, sa stotinu dvadeset kilograma teškom lešinom morskog psa pod rukom, a sve samo da bi izveo nezaboravnu predstavu za debele turiste, zgodne Slovenke i prijatelje oko stola u Pučkoj čitaonici, kao što je to, po legendi, prije trideset godina napravio glasoviti otočki uncut Bepo, rođak pokojnoga Nikota, sin Pepetov i unuk Portugalčev, onaj mlađi, malo zaostao, s dubokim ožiljkom ispod lijevog oka?

Batman:
the beginning

— CHE COSA e questo? — pitao je znatiželjno mali Gianluca pokazujući rukom neobičan, oveći drveni predmet, poput grubo izdjeljane ljudske figure. Izgledao je kao Superman, ili još bolje, Batman, s dugačkim ogrtačem što se spuštao sa širokih ramena, odrvenjen upravo u trenutku kad se desnom rukom zaogrtao plaštem, spreman za skok s djedove police. Mališan ga je uzeo u ruke i u veličanstvenom letu spustio na stolić. Starac je gledao u dječaka, pa u komad drva u njegovoj ruci.

— C'e la Madonna — smješkao se blago ga gladeći po kosi.

— Madonna? — iznenadio se dječak i sâm sada prepoznavši u Batmanu visoku, dostojanstvenu žensku figuru pod dugačkom haljinom, u čijim se bogatim naborima slutila duboka, crna pukotina. Desna ruka, sad kad se ovako pogleda, bila je lagano uzdignuta u pozdrav, ili blagoslov.

Starac je uzeo drvenu Madonnu pažljivo, poput kakvog skupocjenog komada keramike, jedva se primjetno prekriživši desnom rukom.

— Si, Madonna — rekao je. — Uspomena na moju majku, tvoju praprabaku.

— Ti imaš majku? — upitao je mališan začuđeno.

Njegov djed, kako ga je zvao iako mu je zapravo bio pradjed, imao je više od devedeset godina, a tako stari ljudi nemaju majku. Mamu imaju, to svatko zna, samo mala djeca. Čak ni mama nema majku. To je baka. A mali Gianluca ima i majku i baku. I djeda. Iako ga nikad zapravo nije upoznao, jer je umro prije nego što mu se unuk rodio. Zato i nije mogao znati da je njegov djed u stvari pradjed, i da je i on jednom imao majku.

— O da, i ja sam imao majku, kad sam bio mali. Kao ti.

* * *

Nikad je nisam zvao baka. Bake su bile mitološka bića iz bajki, knjiga i filmova, dobrostojeće gospođe s bijelim punđama, crvenim kaputima i crnim psićima koje sviraju klavir i prave čokoladne kolače. Ja sam imao babu. Baba Kata je uvijek bila pod crnom maramom, rasplećući iz pletenica svoju sijedu kosu, dugu gotovo do koljena, tek dvaput godišnje, da bi je isprala u kvasini. Baba nije znala svirati klavir niti praviti čokoladne kolače. Nije znala čitati ni pisati. Ali znala je čuvati naše tajne. I znala je pričati čudnovate priče.

Baba je pila kavu s rakijom, a ja bijelu kafu napravljenu od taloga crne kave što se pila prethodnog dana. Baba je pričala o ratu, gladi i siromaštvu, a ja sam klimao glavom i čekao zgodan trenutak da je pitam lovu za sličice nogometaša i astronauta. Ne znate vi, djeco, što je glad, rekla bi baba praveći mi sendvič od pola kilograma kruha s paštetom. Ja sam klimao glavom i čekao zgodan trenutak da pobjegnem od stola.

Većinu babinih priča sam zaboravio jer ih zapravo nisam ni slušao. Jedna mi se, međutim, trajno utisnula u sjećanje. Bilo je to onih dana kad su je teško bolesnu vratili iz bolnice, da umre kod kuće, okružena ljubavlju obitelji. Noć prije nego što je otpuštena, na prozoru stare bolnice u Lavčevićevoj ulici ukazala joj se Gospa i baba je iznenada ozdravila.

Gospa u ulici narodnog heroja Ivana Lučića Lavčevića nije se više ukazivala, nikad i nikome poslije. Nije to bila Gospa koja upućuje riječi poruke mira i ljubavi, povjerava tajne i obznanjuje šifrirane poruke čovječanstvu, zbog koje se grade svetišta, snimaju filmovi i sastaju vatikanske kongregacije. Ova se Gospa pojavila samo da babi kaže da će sve biti u redu.

Kasnije, za našim stolom, dok je pila svoju kavu s rakijom, a ja srkao bijelu kafu, baba mi je pričala o njoj.

* * *

— Naša je obitelj bila jako siromašna — započeo je djed. Mali Gianluca je sjeo na tepih, među djedove papuče. Opet će pričati jednu od onih svojih priča. Ne znate vi, djeco, što je glad, reći će sad i tiho, odsutno zazviždati, kao kad hrče.

— Ne znate vi, djeco, što je glad — rekao je djed i tiho, odsutno zazviždao. Onako suho, kao kad hrče. — Bilo nas je jedanaestero u kući, osmero djece, ja sam bio najmlađi. Otac je s ujakom cijele dane radio na poljima don Cavallea, djed je nepokretan sjedio pred kućom i dvadeset pet godina čitao iste novine, već žute i raspadnute, a mi djeca smo kao pilići skakutali oko mame. Tri sestre su mi umrle prije nego što sam stasao za radnika, a posla nije bilo. Onda je došao Duce i svima nam obećao posao. I to kakav! Brat Paolo i ja išli smo u rat. Bile su to dvije puške više za Ducea i dvoja usta manje za mamu. A ona je samo plakala i stalno ponavljala da joj obećamo da ćemo se vratiti kući.

— Ti si bio u ratu? — podigao je Gianluca glavu prema djedu, iznenada zainteresiran za njegovu priču. Nikad dosad djed nije pričao o ratu. Rat je za mališana bila riječ iz bajki i priča, filmova i playstation-igara, u ratu se bore vitezovi u srebrnim oklopima, roboti s laserskim zrakama i mišićavi vojnici s teškim strojnicama. Nije mogao zamisliti djeda s laserom ili raketnim bacačem.

— Da, bio sam u ratu. Bilo je to davno, i ja sam bio mnogo mlađi nego tvoj otac sada.

Iako je to sad bilo ponešto drugačije, iako otac jest bio mlađi od djeda, dječak čak ni oca nije mogao zamisliti kao ratnika. Otac je radio kao dizajner, vječno na kompjuteru u radnoj sobi na katu, ćelav otkad ga Gianluca pamti, i nije mu pristajao ni srebrni oklop ni maskirna odora Desert Warriora. Zamislio je zato djeda kao starog, mudrog čarobnjaka, vođu čarobnjačke vojske u bitci protiv strašnih trolova.

* * *

Baba je živjela u Trogiru i rat je, koliko sam shvatio, provela uglavnom sama s četvero dječice. Jedva je prešla trideset, ali na jedinoj fotografiji iz tog vremena izgleda kao da joj je pedeset godina. Cijeli život u crnoj marami, kojom se branila od vjetrova ratova, bolesti i gladi, Kata je postala starica u dobi kad žene tek postaju majke. Njezin muž, djed kojega nikad nisam upoznao, rijetko je dolazio kući. Bio je trgovac, što je bila samo ljepša riječ za ono što je radio. A radio je kao sitni švercer koji je trgovao sa svima kako bi prehranio obitelj. Od žena iz Segeta i Kaštela kupovao je povrće i jaja, na gradskoj tržnici mijenjao ih za zlatni nakit starih, oronulih trogirskih gospođa, koji je potom prodavao talijanskim vojnicima. Od strogih zakona protiv crnoburzijanaca štitile su ga veze koje je pažljivo održavao na svim stranama. Talijane i ustaše kupovao je srebrnim tabakerama i pozlaćenim džepnim satovima; partizanima je pak bio jedan od glavnih nabavljača hrane, ali i veza s trogirskim ilegalcima.

U tom svakodnevnom plesu po minskom polju, djed je preko ruku znao prevrnuti pravo malo bogatstvo, s kojim bi u nekim mirnim vremenima mogao otvoriti svoju vlastitu trgovinu mješovitom robom, o kojoj je sanjao cijeli život. U to vrijeme, međutim, baba je bila sretna ako je iz djedove hrpice zlata i srebra, bisernih kuglica i porculanskih medaljona mogla iscijediti lonac pulente za gladnu djecu. I kao da to nije bilo dovoljno, stalno su se po kući vrzmali nepoznati neki čudni, mrki ljudi s nekakvim papirima i tajnim šiframa. Kad su oni dolazili, djed je iz zida iznad komina vadio bocu rakije, a baba je djecu vodila u drugu sobu.

* * *

— Protiv koga si se ti borio? — pitao je mali Gianluca djeda.

— Protiv jugoslavenskih partizana. Jugoslavija je država u kojoj smo se borili, a partizani su bili vojnici koji su se borili za svoju zemlju, kao što smo se mi borili za svoju. Za Italiju.

Gianluca je zamišljao djeda na konju, sa štitom i velikim mačem. Tako je morao izgledati davni rat u kojemu se borio. Nije tada moglo biti laserskih topova i navođenih projektila. Zamišljao je djeda kako u dalekoj zemlji Jugoslaviji na crnom konju jaše ravno na partizane – ta mala, dlakava čudovišta iskeženih zuba, crvenih očiju i koščatih izraslina na glavi. Vidio ga je kako svojim konjem razgrće razbješnjele partizane, dok oni vrište i bljuju vatru, a djed ih siječe mašući mačem lijevo i desno.

— Koliko si partizana ti ubio?

— Ja? Nijednog, Luca. Tamo gdje sam ja bio nije bilo partizana. Ja sam bio u jednom malom gradiću, a partizani su bili gore, u planini. U šumi.

Gianluca je bio razočaran.

— Baš nijednog?

— Svaki dan zahvaljujem dragom Bogu što je tako — odgovorio je djed i tiho, odsutno zazviždao.

— Kako se zvao taj grad?

— Trogir.

* * *

Jedina osoba na koju je Kata mogla računati kad joj muža nije bilo kod kuće, bio je njezin brat Ferdo, u to vrijeme mladi redovnik u franjevačkom samostanu na otoku Čiovu. Franjevci nisu bili od onih svećenika što su i u vrijeme rata jeli oboritu ribu i pili prošek, ali vazda bi se u suknenoj torbi našao za sestru komadić slanine ili kilogram brašna.

Fra Ferdu pamtim i ja kao tihog starca sitna koraka, snježno bijele kose i blagih, ali dubokih plavih očiju. Učio me latinski, vodio na Hajdukove utakmice i pokrivao mi uši kad bi stadion sucu psovao majku.

Ferdo je imao neobičan hobi. U dugim šetnjama obalama Čiova ili brdima iznad Trogira tražio je figure koje je priroda sama isklesala u kamenu ili istesala od drva. Nekad bi to bio kameni cvijet, nekad drvena zmija, ali nikad i ni u kom slučaju nije na tim figurama smjelo biti ni najmanjeg traga ljudske ruke. Moji roditelji i danas čuvaju neke od stotina fantastičnih skulptura koje je Ferdo ustrajno sakupljao četrdeset godina i koji su dugo zaokupljali moju dječju maštu: veliki, dlakavi zmaj od suhe morske trave, figura atletičara u punom trku otrgnuta od grane čempresa, ili najljepša od svih, golubica sklopljenih krila koju je Ferdo prepoznao u čvornatom korijenu nekakve stare, mrtve masline.

Baba je pričala kako je sve počelo kad je davno jednom, kao mladi redovnik, na Čiovu našao komad korijena česmine koji je, kad ga je malo bolje pogledao, bio nevjerojatno nalik na Djevicu Mariju, tako vjeran da je isprva pomislio da je riječ o drvenoj skulpturi. Danas bi o tome pisale novine, moguće je da bi i ta drvena Gospa završila na ispitivanjima u Rimu, kao ove keramičke međugorske Madonne koje plaču krvavim suzama, ali Ferdo je znao da se Bog ne bavi takvim stvarima i da je to samo korijen česmine u obliku Gospe, mala igra prirode, kao obris šampjera u velikom olujnom oblaku, ili ljudske glave u kamenjaru Kozjaka.

To, međutim, nije mogao objasniti svojoj sestri Kati, koja ju je postavila na vidljivo mjesto, kao svoj mali kućni oltar. Pred njom se svakoga dana molila da joj djeca prežive rat i da joj muž dođe na večeru. Samo jednom molila se da ne dođe.

Bilo je to onog dana kad je fašistički namjesnik Trogira, zloglasni Nino Fanfogna Gagnarin, dao uhapsiti desetak muškaraca, pod optužbom za napad na talijansku patrolu. Među uhapšenima je bio i Gašpar, visoki, tamnoputi Segećanin koji je često s djedom dolazio kući, davajući mu nekakve papire za drugove u gradu te novac za nabavke. Baba je znala da će Talijani banuti i kod njih. Grozničavo je po kući tražila sigurno mjesto gdje će sakriti djedove papire i novac. U kući je bilo samo jedno takvo mjesto.

* * *

— Jednog dana... — prenuo se djed iz svojih zviždećih lutanja — jednog dana dobili smo zadatak da pretresemo kuće nekih ljudi za koje smo sumnjali da surađuju s partizanima. U to vrijeme bio sam već pune tri godine u ratu, skoro godinu i pol u Trogiru... mjesecima nisam dobio glasa od majke, zadnje što sam znao o bratu Paolu bile su vijesti iz Afrike, da je lakše ranjen i da putuje kući. Svi smo bili nervozni, nismo dobijali poštu, rat je krenuo loše, a i nismo voljeli te premetačine, u kojima nikad ništa nismo našli... nailazili smo samo na kletve, psovke, mržnju, i nikad nismo znali iza kojega nas zida čeka metak. S nama je bio i neki Hrvat, prevoditelj, zapravo policajac. Onda smo došli pred to dvorište.

Gianluca je vidio prizor: njegov djed na crnom konju dolazi pred zamak sav zarastao u bršljan i divlju draču, i drškom mača lupa o stara, crvljiva drvena vrata.

— Otvorio mi je mališan, dijete otprilike tvojih godina, kao ti sada. Nikad neću zaboraviti njegov pogled, i sad ga vidim kako me odozdo gleda ogromnim plavim očima.

Gianluca je točno vidio malog, dlakavog partizanskog trola kako prijeteći zuri u sijedog viteza na vrancu.

— Ušli smo u malo dvorište puno zarđalih limenki s crvenim cvjetovima đirana. Jednog sam vojnika ostavio na vratima, a nas dvojica i onaj Hrvat zajedno s dječakom uputili smo se u kuću. Mali je premro od straha.

Nasmrt preplašen, trol je pogrbljeno hodao ispred djeda. Gore, na krovovima zamka, igrale su crne sjenke. Modrosivi oblaci sakrili su mjesec. Djed je nogom razvalio teška vrata dvorca i kročio unutra.

— Ostao sam bez zraka. Dva vojnika što su bila sa mnom gledala što se događa. Čekali su da izdam zapovijed, a ja sam samo stajao, bez riječi, bez snage da se pomaknem. Sve, baš sve unutra bilo je isto kao kad sam zadnji put bio tu, prije dvije godine. Bio sam kod kuće.

Mali Gianluca se trgnuo i odozdo, s tepiha podno naslonjača, pogledao djeda.

— Kod kuće?! — upitao je zbunjeni dječak.

— Stara drvena kredenca, klimavi stol sa dvije stolice, raspelo na zidu, čak i điran na prozoru, sve je bilo isto. I dvije djevojčice koje su sjedile na podu, bile su to moje sestre, uopće nije moglo biti sumnje. Donata, Marcella, rekao sam tiho. Onda je iz druge sobe ušla ona.

* * *

Kata je stajala na vratima ukipljena. Vidjela je onog kurvinog sina Šimuna Mijata i trojicu talijanskih vojnika, dvojicu na vratima i jednog nasred sobe, kako stoje bez riječi. Onaj pokraj Marije i Nevenke zurio je u nju velikim plavim očima koje su se punile staklenom vodom sve dok suze nisu provalile niz obraze i izgubile se u oštroj, crnoj bradi. Mamma, rekao je jedva čujno, a Kata ga je gledala ne znajući što da kaže. Onda je prišao korak-dva bliže. Signora, rekao je ovaj put malo glasnije, okrenuvši se potom prema Šimunu. Rekao je nešto na talijanskom, a Šimun je mrka lica slušao i klimao glavom. Naposljetku je i on prišao Kati. Gospođo, rekao je, colonello Pavese se ispričava na smetnji, jer je očito došlo do zabune. Onda mu je talijanski vojnik opet nešto šapnuo i Šimun je nastavio. Mi ćemo sad napustiti vašu kuću, a gospodin Pavese moli da oprostite na neuljudnom upadu, te vam poručuje da mu se javite u komandu Trogira kad god vam treba pomoć, bilo što, samo tražite colonella Lorenza Pavesea. Talijan je dodao nešto kratko, a Šimun nije skidao pogled s Kate. Bilo kad, u bilo koje doba, rekao je.

Šimun i ona dva vojnika potom su se okrenuli i napustili kuću, a colonello je ostao još trenutak-dva, uzeo Katinu ruku i poljubio je. Pogladio je djevojčice po glavi i iz džepa izvadio pločicu tamne čokolade. Na putu prema vratima zastao pored kredence. Uzeo je u lijevu ruku drvenu Gospu, desnom se prekrižio i opet rekao nešto na talijanskom. Nije bilo Šimuna da prevodi, ali Kata je znala što govori. Vojnik je potom zavukao ruku u unutarnji džep uniforme i izvadio svežanj novčanica. Ostavio ih je na kredenci, uzeo Gospu i izašao.

Ciao, mamma — čula je Kata jasno kako govori na vratima. Mlađa kći tek tada je počela plakati. I Kata se konačno slomila, počevši nekontrolirano drhtati.

* * *

— Eto, to je cijela priča o Gospi iz Trogira — rekao je djed pružajući drvenu figuru Gianluci. — Gospođa mi se nikad nije javila u komandu, niti sam je ikad više vidio. Tada nisam mogao znati da ću tu, na vratima te trogirske kuće, posljednji put vidjeti svoju majku. Dva mjeseca kasnije došla je zapovijed da napuštamo grad. Rat je bio izgubljen i vraćali smo se u Italiju. Kad sam desetak dana stigao kući, svi su bili tamo. I ujak, i tata, sestre, čak je i Paolo bio kod kuće. Samo mame nije bilo. Rekli su mi da je umrla dva tjedna prije od tuberkuloze, ali ja sam znao da je ostala u Trogiru. Sve što mi je od nje ostalo jest ova čudesna drvena Gospa.

Gianluca je visoko podigao drvenu figuru. Trenutak-dva držao ju je gore, a onda je naglo obrušio prema stoliću sa djedovom šahovskom tablom. Mali, ljigavi partizanski trolovi nisu ni slutili što se događa. Već u sljedećem trenutku među njih je uletio Batman i odmah zbrisao trojicu. U dvorcu je nastao metež. Na jednoj strani djed je na crnom konju mačem razgrtao patuljasta čudovišta, a na drugoj je uspaničene partizane dočekivao Batman i nemilosrdno ih bacao kroz prozore zamka, dolje niz liticu, ravno na bijeli tepih pod stolićem. U veliku crnobijelu salu niz stepenice su se stalno spuštali novi i novi trolovi, ružna bića s rukama do poda, i izgledalo je da na svakoga partizana što ih djed i Batman smaknu stiže deset novih.

I trajala bi ta bitka cijelu vječnost, da Batman na koncu nije posegnuo za tajnim oružjem. Izvukao je srebrnu kuglu i bacio je među partizanske trolove. Onda je viknuo djedu da prihvati njegovu ruku. U sljedećem trenutku Batman i djed nestali su visoko na galeriji, a onda izletjeli kroz prozor, potraživši spas na vrhu djedova naslonjača.

Djed je gledao Gianlucu i nešto govorio, ali od strašne eksplozije što je raznijela partizanski dvorac dječak ga nije mogao čuti. Tek, na trenutak mu se učinilo da djed plače.

* * *

Ta dva mjeseca do talijanske kapitulacije bila su najduža dva mjeseca babina života. Zadnjih par tjedana čak je s djecom preselila k sestri, u strahu od novih premetačina. Djed se vratio u Trogir tek kad su Talijani otišli. Zajedno s njima nestao je i Šimun Mijat, pa se baba s djecom vratila kući. Onda su jednog jutra u grad umarširali Nijemci, i strah je opet obojao kuću moje babe. Uzalud ju je djed tješio da je sva policijska dokumentacija nestala, da su drugovi uništili ono što Talijani nisu odnijeli sa sobom, i da nema razloga za strah. Sve je u redu sad, ne brini, rekao bi on, a Kata bi plakala i molila se Gospinoj sličici na zidu, istoj Gospi što ju je odnio bradati talijanski vojnik i koju neće vidjeti punih trideset godina, sve do one noći u staroj bolnici u Lavčevićevoj ulici, kad joj se ukazala na prozoru i rekla da je sve u redu.

Brat Ferdo kasnije joj je poklonio mnogo prekrasnih drvenih figura, bio je među njima i jedan križ od borove grane na kojoj su lišajevi čudesno ocrtali raspetog Krista, ali baba se uvijek molila samo Djevici Mariji.

* * *

— Sve je u redu sad, ne brini — rekao je Batman.

Skočio je djedu na koljena, ispod plašta izvadio neobičan zamotuljak i spustio mu ga u krilo. Gospodin Lorenzo Pavese obrisao je oči i odmotao komad papira. Nasmijao se kad je vidio jednostavno, dječje naivno nacrtani vlak na tračnicama. S obje strane pruge bili su nacrtani brežuljci, a nad svakim brežuljkom nezgrapnim rukopisom ispisan naziv. U dnu papira istom su nespretnom rukom bile napisane nekakve brojke i slova, ali stari colonello nije mogao vidjeti što piše. Odavno više njegove oči nisu mogle čitati.

— Luca — rekao je. — Spremi svoj crtež gdje mu je mjesto.

Luca je u trku zgrabio komad papira iz njegove ruke. Djed je čuo kako Batman u kuhinji pomoću tajne šifre otvara poklopac košare za otpatke. Još jednom se nasmijao.

Taj mali nikad zapravo ne čuje što mu se govori.

* * *

Baba nikad nije saznala gdje je završila njena drvena Gospa. Rado je zamišljala kako je bradati talijanski vojnik preživio rat i odnio je kući, gdje joj se svaku večer, zajedno s babom Katom, moli i colonellova mamma. Kako pobožno gleda u Madonnu, staračkim rukama prebire krunicu i moli za svoje unuke, ni ne sluteći da se u Gospinom drvenom plaštu, u dubokoj, tamnoj pukotini njegovih nabora, kriju požutjeli papiri s planovima za sabotažu na željezničkoj pruzi kod Labina Dalmatinskog, jednog davnog srpanjskog dana 1943. godine.

Crveni
šejtan

POSTOJE DJECA koja se boje škole, ništa nova pod kapom nebeskom, ali nitko se škole nije bojao kao mali Mensur Ćeman iz Crvogojna kraj Nesunca.

Učeni ljudi što se razumiju u dječje strahove mogli bi o Mensurovim noćnim morama ispisati čitave knjige, a stvar je zapravo bila u tome da je škola za mališana bila zgrada u kojoj crna čudovišta jedu ljude i malu djecu. Čuo je on od starijih, slušao u dugim ljetnim večerima kako muškarci iz sela pripovijedaju mračne priče o staroj školi, i uvijek je na putu do kuće usta suhih od straha široko zaobilazio tu sablasnu ruševinu. U ratu su Hrvati pri povlačenju zapalili pola sela, ali danas, desetak godina kasnije, samo je zgrada škole ostala onakva kakvu je Mensurov amidža Irfan zatekao kad je na čelu Druge Nesunačke ušao u napušteno rodno selo.

Mensurov otac, hodža Omar efendi Ćeman, donacijama imućnijih Crvogojana sagradio je stotinu koraka dalje novu, bijelu džamiju, i kraj nje lijepu kuću, u kojoj se mališan budio gledajući školu praznih prozora, kuću duhova obraslu u korov i šikaru. Za malog Mensura škola je bila najstrašnija od svih riječi, a dan kad mu je otac rekao da je sad veliki dječak i da će u ponedjeljak krenuti u školu, najstrašniji od svih dana.

Hodža je, istina, svome sinu stotinu puta objasnio da tu ne žive čudovišta koja jedu ljude i malu djecu, da je zgrada izgorjela u ratu i da, na kraju krajeva, neće ići u tu školu, ruševnu i napuštenu, već u novu, lijepu školu, u šest kilometara udaljeni Nesunac.

Uzalud, jer toga jutra, prvog dana škole, kad ga je amidža Irfan svojim velikim džipom odveo u grad, mali Mensur je mislio da će umrijeti od straha. Čuo je on i od drugih dječaka razne priče, bilo je još djece koja su se bojala škole, ali nije zabilježeno da se itko škole bojao kao mali Mensur Ćeman iz Crvogojna kraj Nesunca.

* * *

Bio je posljednji petak u godini kad je amidža Irfan odvezao Mensura na rođendan kod njegova najboljeg školskog druga Damira. Tri dana molio je dječak oca dok mu najzad nije dopustio da tamo i prespava. Hodži nije bilo drago što će mu sin spavati kod Damira, ali nije mu rekao zašto. Za Mensura, bio je to trenutak odrastanja: prvi put u životu neće spavati u svojoj kući, i neće ga otac buditi za sabah namaz. Bio je uzbuđen kao da ide na put oko svijeta, a ne u Nesunac.

Pa ipak, nije zbog toga zapamtio taj dan. Zapamtio ga je zbog velikog, neobičnog stabla, srebrne jelke okićene najneobičnijim ukrasima, šarenim lopticama i svjetlucavim žaruljicama, što je niknula usred stana Damirovih roditelja. Mensur je opčinjen gledao u taj čudesni prizor. Toga je dana prvi put čuo za malog Isusa, čiji rođendan pada dan poslije Damirovog rođendana, i za najčudniji od svih običaja, da na taj dan djeca pod okićenom jelkom nalaze darove. U dnevnoj sobi okupili su se neki odrasli ljudi, a Damirov otac vikao je da će njegovoj djeci i darove i dalje nositi Titov Djeda Mraz, i to na Novu Godinu, kako je oduvijek bilo u njihovoj kući.

Mensur nije baš najbolje shvatio što Damiru dođe mali Isus, a što Tito, čiji je Tito drug i po kome im je taj Mraz zapravo djed. Tek, te je večeri prvi put vidio Isusovog, Titovog i Damirovog djeda Mraza. Bilo je već kasno, odavno se pojela velika pizza i torta u obliku nogometne lopte, kad je Mensur, gledajući s drugovima televiziju, na ekranu iznenada ugledao istu onakvu šarenu jelku: neki je dječak stajao kraj nje i otvorio prozor kroz koji se ukazala nestvarna slika — snježnim se krajolikom primicao veliki crveni kamion ukrašen žutim žaruljicama, za njim još jedan, pa još jedan, i uskoro je prema dječakovoj kući pristizala cijela dugačka kolona tajnovitih, velikih crvenih kamiona.

Mensur je zaglavljenih vjeđa i bez daha gledao u televizor. Konvoj se zaustavio točno pred dječakovom kućom, a iz prvog kamiona izašao je dragi, debeljuškasti starac bijele brade i bijele kose, u crvenom kaputu, pod crvenom kapom, pruživši dječaku veliki, šareni paket i bočicu Coca-Cole.

* * *

— Babo, imam li ja još kojega djeda osim Fuada? — bilo je prvo što je mali Mensur sutradan pitao oca.

— Imo si djeda Šerifa — odgovorio je otac — onoga koji je poginuo u ratu.

— Znam za njega, nego imam li još kojega djeda sad?

— Ne, zašto pitaš? Odakle ti sad to?

— A imam li ja, babo, djeda Mraza?

Efendi Omar shvatio je tada zašto mu sina iznenada zanima bliža rodbina. Mensur je ispričao gdje je vidio Djeda Mraza, nakon čega je otac započeo dugačku priču o tome kako Djed Mraz ne postoji, kako je to izmišljotina velikih svjetskih trgovaca i prevaranata, nevjernika i zlih ljudi, poput onih što su zapalili njihovo selo.

— Hoćeš da kažeš da je Djed Mraz — gledao ga je Mensur zaprepašteno — da je Djed Mraz zapalio selo? I školu?

— Nije Djed Mraz — strpljivo je objašnjavao hodža svome sinu. — Djed Mraz ne postoji. Djed Mraz je izmišljen da djecu udalji od Boga i vjere, a roditelji da troše svoj novac na glupe dječje igračke.

— Ali ja sam kod Damira vidio...

— Vidio si reklamu! — uzrujao se hodža. — Vidio si reklamu za onaj američki otrov, eto šta si vidio. Djeda Mraza su izmislili nevjernici, isti oni koji su u staroj školi ubili tvoga djeda!

— Ali ti si mi reko da čudovišta iz stare škole ne postoje! — pobunio se mališan. — Isto ko što mi sad govoriš da ne postoji Djed Mraz!

Dugo je te večeri otac malom Mensuru čitao Kur'an i pričao o ratu. Dječak je saznao pravu istinu o kući duhova i crnih čudovišta zbog koje se bojao škole – staroj zgradi u kojoj su za vrijeme rata Hrvati organizirali logor za Bošnjake, mučili muškarce, žene i djecu, i ubili djeda Šerifa. Na kraju, mališan je u svoju početnicu velikim, kvrgavim slovima zapisao kako mu je Ibrahim, alejhi-s-selam, preko oca poručio: »Ja idem za Gospodarom svojim, On će me na pravi put uputiti.«

Pa ipak, od te je noći u njegove zimske snove, umjesto crnih aveti iz škole, uselio onaj tajanstveni, čarobni crveni konvoj pun darova za djecu, među kojima debeli sjedobradi starac nosi i poklon za njega, malog hodžinog sina iz Crvogojna kraj Nesunca.

* * *

Prošlo je otada točno godinu dana. Poslije onog rođendana otac mu je zabranio da se druži s Damirom, nikad mu ne objasnivši zašto, i dječak je danas jedva čekao da dođe u školu, pa da mu najbolji drug ispriča kako je u subotu bilo na rođendanskoj proslavi. Padao je sitan snijeg, a Mensur je u tijesnim žutim čizmicama žurio utabanim putem do stare nesunačke ceste, zamišljajući kao i svakog zimskog jutra kako će, kad izađe na drum, vidjeti onu kolonu kamiona na putu prema njegovoj kući.

Hodao je gotovo sat vremena kad je tamo iza šume začuo zvuk motora, poput džipa amidže Irfana. Zvuk se pojačavao, i sad je izgledalo kao da ih je više. Mensur je zastao bez snage da se pomakne, bez daha, a onda potrčao stazom kao da su mu iz školske torbe na leđima krila izrasla. Trčao je, padao, i trčao, i padao, dok nije izašao na čistinu i ugledao najljepši prizor kojega je ikada vidio: iza ugla, podno Vuče Gore, cestom se kroz snježne namete i kanjone prljavih prtina probijao veliki crveni kamion, ukrašen žutim i crvenim svjetlima. Iza njega pomaljao se drugi, pa treći. Kolona crvenih kamiona zamakla je iza velikog bijelog brijega, da bi se koji trenutak kasnije pojavila na putu točno ispred njega.

Stajao je uz cestu i oduzet gledao u konvoj. Od sreće i uzbuđenja nije mogao disati. Prvi se kamion polako približavao, a onda se zaustavio tik kraj njega. Mislio je da će se onesvijestiti kad su se vrata kamiona otvorila i iz njega izašao debeljuškasti starac sijede brade, sav u crvenom, pod neobičnom crvenom kapom.

— Mali — prišao mu je Djed Mraz. — Đe se skreće za Crvogojno?

Mensur ga je gledao paraliziran. Otvorio je usta, ali iz njih nije izlazilo ništa osim malih oblačića bijele pare.

— Mali, halo? — sagnuo se starac i pogledao ga ravno u oči. — Jesil ti odavde neđe?

Dječak ga je i dalje gledao bez glasa.

— Jel znaš ti hodžu Omara, iz Crvogojna? — pitao je Djeda Mraz.

Mensuru je cijela utroba gorjela od silne sreće, što je potekla kroz oči u dvije tople, male suze.

— Kud se ide tamo? — pitao je opet crveni starac okrenuvši se prema cesti, što se malo dalje, iza šume, račvala na dvije strane. — Đe se skreće za hodžinu kuću?

Mensur je, međutim, i dalje stajao bez glasa. Brada mu je drhtala, a suze se valjale niz obraze.

— Jebiga, mali — potapšao je Djed Mraz dječaka kožnom rukavicom i spretno se uspeo natrag u kabinu kamiona.

Motori su opet teško zabrundali i kolona crvenih kamiona zamakla je iza bijelog brijega. Mališan je još nekoliko trenutaka stajao kao smrznut, gledajući u prazno raskrižje. U jednom času poželio je da se odmah za konvojem vrati u selo, ali znao je da bi otac pobjesnio kad bi saznao da nije bio u školi. Okrenuo se i trčeći odjurio niz tragove teških kamiona u grad, moleći dobroga Boga da ovo jutro preskoči kako bi se što prije vratio u selo, da vidi što je dobio od Djeda Mraza.

I da vidi očev izraz lica kad ga bude pitao misli li i dalje da Djed Mraz ne postoji.

* * *

Mensur nije mogao dočekati posljednje školsko zvono. Nestrpljenje ga je boljelo u grčevima, kao kad bi se najeo buredžika tetke Alme. Izjurio je iz škole i jedva dotičući zemlju otrčao prema izlazu iz grada. Iz teške torbe na leđima opet je razvio krila, jurio je smeđim, ledenim blatom stare nesunačke ceste, skupljao školske knjige razasute snijegom, pa opet trčao, preskakao jarke koje nikad do tada nije uspijevao preskočiti i zamakao utabanom stazom kroz šumu.

Na prilazu selu bilo mu je jasno da se dogodilo nešto veliko. Svijet se skupio tamo oko džamije, a on je trčao prema njima dozivajući oca i dršćući od nezamislive sreće. Kad se približio, vidio je amidžu Irfana u maskirnoj uniformi, i pored njega oca. Okrenuo se i Mensur je shvatio da nešto nije u redu. Ocu su oči bile crvene od suza.

— Mensure — zazvao ga je tiho. — Dođi, idemo do amidže i tetke Alme.

— Šta je bilo, babo? — pitao je dječak zbunjeno i gledao prema džamiji. — Jel bio Djed Mraz?

— Kakav bolan Djed Mraz? — zabrundao je amidža.

— Hajmo, Mensure — skinuo je hodža sinu torbu s leđa i povukao ga na drugu stranu.

Dok ga je otac za ruku vukao prema amidžinoj kući, Mensur je gledao iza sebe. Sad je mogao vidjeti njihovu kuću tamo iza džamije, i strašnu sliku od koje su mu se oduzele noge: prazni su prozori bili natkriveni crnim trokutima čađe, a na mjestu gdje je stajao krov iz nagorjelih su greda u sivo nebo vijale rastrgane krpice dima.

— Sve je izgorjelo, Mensure — govorio je amidža spuštajući svoju golemu šaku na njegovo rame.

— Tko... kako...? — promucao je mališan.

— Ona nova peć — rekao je otac. — Eksplodirala, izgleda. Nikog nije bilo u kući. Sve izgorjelo.

Mensur se osvrtao, zapinjao i na kraju oteo iz očeve ruke. Gledao je ono što je ostalo od njihove nove kuće i shvatio.

— Nije peć, babo — javio se cmizdravim glasom. — Bio si u pravu, to je Djed Mraz bio. Djed Mraz je zapalio kuću. Ko što je i školu zapalio, majku mu jebem.

Nije ni dovršio svoju plačnu psovku, a već je očeva desna ruka poletjela zvučno ga klepivši po potiljku.

— Kakav bolan Djed Mraz, šta je malome? — zabrundao je opet amidža.

* * *

Te je Nove godine mali Mensur Ćeman saznao da Djed Mraz doista postoji, ali da to nije dobri starac iz reklama za Coca-Colu koji nosi šarene pakete s darovima za djecu, već kaurski palikuća zbog kojeg on, eto, sada živi kod amidže Irfana i ide u školu u šest kilometara udaljeni Nesunac. Od te Nove godine mali je Mensur svake noći sanjao iskeženo crveno čudovište bijele brade kako u crvenom kamionu dolazi u njihovo selo.

Učeni ljudi koji se razumiju u dječje strahove mogli bi o Mensurovim noćnim morama ispisati čitave knjige, a stvar je zapravo bila u tome da je Djed Mraz za mališana bio katolički šejtan koji u svojoj vreći nosi veliku nesreću i pali muslimanska sela. Čuo je on od oca, slušao u dugim zimskim večerima kako pripovijeda mračne priče o Djedu Mrazu koji vara djecu i udaljava ih od Boga i vjere, i uvijek je na putu do kuće usta suhih od straha široko zaobilazio veliku reklamu za Coca-Colu s koje mu se đavolski smješkao isti zli starac kojega je onoga dana vidio u crvenom kamionu, na putu do škole, ne sluteći kakvu mu nesreću u svojoj vreći nosi.

Hodža Omar svome je sinu, istina, stotinu puta objasnio da ne postoje crvena čudovišta koja pale kuće i škole, već da je to eksplodirala nova, neispravna peć, zapalila ćilime, zavjese i daščani pod, i cijelu njihovu novu kuću. I da je stari Veljo, najstariji vatrogasac u Bosni, sa svojim dobrovoljcima iz Nesunca došao prekasno, jer im nitko nije znao reći kuda se ide za Crvogojno i gdje živi hodža Omar, pa su na raskrižju iza Vuče Gore skrenuli za Goliju, stigavši kad je cijelu hodžinu kuću već progutao oganj.

Uzalud mu je otac potanko objašnjavao svih stotinu puta, jer onoga jutra kad je učiteljica Mirna cijeli razred odvela u posjet Dobrovoljnom vatrogasnom društvu »Nesunac« – oronulu, jezovitu zgradu koja je izgledala kao starački dom za strašne crvene djedove poput Damirovog – mali Mensur je mislio da će umrijeti od straha. Čuo je on i od drugih dječaka razne priče, bilo je još djece koja su se bojala debelog Djeda Mraza što, kažu, vazda bazdi na brlju, ali nije zabilježeno da se itko Djeda Mraza bojao kao mali Mensur Ćeman iz Crvogojna kraj Nesunca.

Smrt

— K O G   J E   R O D A   smrt? — pitao je učitelj Mitar na času srpskog, onoga svečanog dana kad je slavna Kragujevačka gimnazija obeležavala stogodišnjicu postojanja, i kad je mali Đura Velagić saznao mračnu porodičnu tajnu.

Dečak nije čuo pitanje. U glavi je ponavljao pesmu koju će tog poslepodneva da recituje na školskoj svečanosti, onu tajanstvenu i nekako zlokobnu čika Jovinu pesmu zbog koje je noćima sanjao čudne bradate patuljke: »To na svetu još ne vide, take bede i čuvide, nije veći ni od miša, a brada ko u derviša — ko si ti?«

Razred je utonuo u gluvu tišinu, kao da svako u glavi recituje svoju pesmu, a učitelj je spustio cvikere na vrh nosa i ponovio pitanje.

— Ko će da mi kaže kog je roda smrt?

— Smrt je roda Velagića! — odgovorio je tada tanani muški glasić iz magareće klupe, nakon čega se celo odeljenje zaorilo grlenim dečijim smehom, pa je izgledalo da se smeju i golubovi na prozorima stare Kragujevačke gimnazije.

* * *

Smejao se i komandant Ognjen.

— Njega ću po smrt da pošaljem! — rekao bi.

— Ne treba. Sam će dođe.

U početku ga je i zabavljalo kad su se u jedinici zajebavali s njegovim porodičnim nadimkom. Đura Velagić Smrt bio je kurir za vezu između kragujevačkih ilegalaca i partizana na Rudniku, i svaki put kad je s pletenom torbom babe Stane stizao na položaj podno planine, drugovi su govorili: »Stiže Smrt.« Krenule bi onda šale i zajebavanja, a kako su i vesti tih prvih ratnih meseci bile uglavnom dobre, to je u štabu brigade postalo čak i neko predosećanje, kao lozinka za sreću, kad bi straža s ivice šume povikala: »Stiže Smrt!«

— Druže Tito, ovo je kurir Đura Smrt, naša veza sa Kragujevcem! — predstavili su ga tako i vrhovnom komandantu, kad je septembra 1941. godine u oslobođeno Užice stigao Vrhovni štab Narodnooslobodilačke vojske.

— Đura Smrt?! — pogledao ga je drug Tito. — Odakle ti, druže, tako gadan nadimak?

— To nam je u familiji, druže Tito — odgovorio je, kažu, kragujevački kurir. — Svi se prvorođeni muškarci u Velagića zovu Đorđe. Pa od toga došlo Đura.

Vrhovni komandant se dugo smejao ovoj šali kurira Đure Velagića, koji je tako došao na glas kao šereta, iako je u životu bio spreman na sve – od prebijanja nedićevaca do probijanja švapskih linija – sem na šalu. Tu pošalicu, da mu je gadan nadimak Đura Smrt po familiji, jer se svi prvorođeni muškarci u Velagića zovu Đorđe, čuo je jednom davno, kao dete, od deda Đorđa, izlapelog starca koji beše lud za celu porodicu sem za svoja dva starija unuka, kojima je satima umeo da priča najneverovatnije priče.

I nikad, eto, Đura tu šalu nikome nije ispričao, sve dok ga drug Tito 30. septembra 1941. u Vrhovnom štabu u Užicu nije upitao: »Odakle ti, druže, tako gadan nadimak?«

* * *

— Vidiš, sine, taj nadimak je nama Velagićima u familiji od pradavnih vremena — započeo je deda Đorđe.

Dečak je seo pored njega na drveni tronožac. Voleo je dedine priče. A najviše je voleo kad bi bratu Nedeljku i njemu deda Đorđe pripovedao kako je jednom zaspao pod nekom turskom ćuprijom, i kako mu je planinski orao iskljucao i iščupao sve dlake na telu, da od njih savije gnezdo za svoje male, goluždrave i gladne ptiće. Od toga je dana, eto, deda Đorđe ćelav i ćosav, bez brade i brkova, bez ijedne dlake na rukama i na prsima, bez trepavica i obrva.

Kasnije, kad su Đura i Neđa odrasli, voleli su krišom da slušaju kad je tu istu priču deda pričao i najmlađem unuku Raši. Kako mu je planinski orao počupao sve vlasi, zbog čega i danas, i zimi i leti, uvek nosi onu svoju staru, crnu šubaru, jedinu uspomenu na sina Đorđa, veterana Oktobarske revolucije za koga se pričalo da se oženio negde u Rusiji, gde je i umro na svoju slavu, na Đurđevdan 1934.

— Mene su zato zvali Đoka Jaje — pričao je malome Đuri ćelavi starac. — Razumeš, Đoka od Đorđe, kao što tebe zovu Đura. Mene su zvali Đoka. Svi su prvorođeni muškarci u Velagića kršteni Đorđe. Zato se ujka Jurij zove tako, jer tako se na ruskom kaže Đorđe, zato se i ti zoveš Đorđe. To nam je i krsna slava i slavni krst. Pa od toga došlo Đoka.

Nije, dabome, mali Đura shvatio dedinu šalu, a video je i deda da mali ne razume.

— Ma ne pitam te to — rekao je mališan. — Danas smo na času srpskog učili rodove imenica i učitelj Mitar je pitao kog je roda reč »smrt«. Onda je Uroš rekao da je smrt našeg roda. Od Velagića.

— Mali Uroš je to rekao? Danilov?

— Aha.

— Da je »smrt« od roda Velagićevih?

— Aha. A učitelj Mitar je reko da se ne šegačimo. I još je reko da je »smrt« ženskoga roda.

— Jest, vala, baš ženskog — rekao je zamišljeno deda Đorđe, a onda uzeo unuka u krilo. — Sedi, sine. Ispričaću ti priču o Velagićima.

* * *

To s nadimkom Smrt prastara je neka stvar među Velagićima, davno pre nego su uopšte postali Velagići – jer nadimak im je stariji od prezimena – i u jesen 1941. godine nije bilo više nikoga ko je znao tu priču, sem kurira Đure zvanog Smrt. Svi su kragujevački komunisti i partizani, međutim, znali da je smrt od roda Velagićevih. A znali su i da je ženskog roda.

Ovako to beše.

Deda Đorđe je umro u julu te godine, i njegova su tri unuka ostala poslednji muškarci iz roda Smrti. Govorili su po kragujevačkim kafanama: »Umro Smrt«. Ili ovako: »Jeboti sreću, Smrt – pa umre!« I odgovarali: »Ne mož' smrt da umre.« Neki su se i smejali. A babe se krstile.

Na dedinoj sahrani bilo je, kažu, više Nedićevih žandara nego rodbine i komšija. Špiclovi i agenti bili su posvuda oko groblja, čekajući da se pojavi pokojnikov najstariji unuk, za koga se osnovano sumnjalo da je jedan od glavnih aktivista kragujevačkog komunističkog podzemlja. A Đura Smrt ne samo da je na sahrani bio, nego je dedu i oplakao i zalio mu humku šljivovicom – sve prerušen u devojačku nošnju sestre Jule! I još je stigao u cveće na grobu da sakrije materijale za drugove.

Tako su partizani u šumama Rudnika saznali da je Smrt ženskog, devojačkog roda.

* * *

— Zbog ženske odeće? — pitao je dečak.

— Pusti dete, pobogu, tata! — čuo je glas majke Vide.

Nije tog dana mali Đura Velagić shvatio mnogo od dedine priče. Ipak – da li zbog dečije okrutnosti i svog jada, što mu nije dao da s novim nadimkom ode na svečanost povodom stogodišnjice gimnazije i zajedno sa lepom Zorom Pakalović odrecituje čika Jovinu pesmu, da li zbog dubokog i toplog dedinog glasa s mirisom duvana, u koji se neobična, reska reč »smrt« smestila kao da je tu oduvek – tek usekla mu se ta priča u sećanje, i ostavila ožiljak toliko dubok da je godinama kasnije mogao da je ponovi celu, od reči do reči. I da je shvati kad za to dođe vreme, kad nadimak Smrt bude nosio kao što se nose gaće ili brkovi, i kad ta reč bude oslobođena svakog značenja i zle slutnje.

Velagići su u Kragujevac došli iz Bosne, pre šezdeset godina, kad je dedi Đorđu bilo svega sedamnaest. Živeli su, pričao je, u Mostaru i nisu uopšte bili Velagići. Bili su katolici.

— Katolići? — ponovio je zbunjeno mali Đuro.

— Ne, katolici — nasmejao se deda. — Katolici su hrišćani kao i mi, samo što se njihovi popovi ne žene. Katolici. To nije prezime, nego vera.

— Jel to dobra vera?

— To je ista vera.

— A prezime?

— Bili smo Angjelović.

— Anđelović?

— Angjelović, deda ga je tako izgovarao. An-g-j-elo-vić. Angjelović.

— Znači, ti si onda Đorđe Angjelović.

— Ne, nego Grgo. Prozvaše me ovde Đorđe, pa tako ostalo.

— Grgo Angjelović?

— Da.

— Odakle nam onda prezime Velagić?

— To je prezime tvoje babe. Babe Stane.

— Znači ti si uzeo babino prezime?

— Tačno. Velagić.

— A zašto?

* * *

— Zato što popovi kažu da posle smrti ima života — šalili su se kragujevački partizani — ali posle Đure Smrti bogami nema.

Zajebancija s nadimkom kurira Đure Velagića stišala se nekako baš posle onog čuvenog susreta s drugom Titom, kad su s fronta u Kragujevac počele da pristižu i prve loše vesti.

Nemci su u Srbiju dovlačili nove tri divizije, a četnici Draže Mihailovića, osokoljeni podrškom izbegličke vlade i saveznika, sejali su užas po zabačenim srpskim selima. Lozinka »Stiže Smrt!«, koja je do tada veselo dočekivala kurira Đuru Velagića i bila dobar znak i za drugove iz jedinice i za drugove iz grada, sada je dobila sasvim novo značenje. Počela je da znači ono što se oduvek podrazumevalo kad se kaže: »Stiže smrt.«

Onda je jednog dana ubijen i Đurin mlađi brat Nedeljko. Beše on mladić malo pomerene pameti – na deda

Đorđa, govorilo se u komšiluku – ali neverovatno nalik svom godinu dana starijem bratu. Ta je sličnost nesrećnog Neđu na kraju došla glave: ubiše ga ljotićevci, ubeđeni da je to poznati kragujevački omladinski aktivista Đorđe Velagić Đura.

Opet, govorili su kafanski mudraci, ko je mogao da im zameri? Uhvatili su ga kako na gradske bandere lepi letke Saveza komunističke omladine, s rukama punim antinemačke propagande. Niko nije verovao baba Stani da su Nedeljku ruke bile pune odlepljenih plakata, i da je antifašističke letke u stvari skidao s bandera zato što mu je bila potrebna hartija za crtanje, i zato što je voleo da komunističkim zvezdama crta oči i usta.

Jebi ga. Da su siroto dete uhvatili samo dan ranije, našli bi ga gde isto tako »lepi« proglase Gestapoa, čijim je strašnim orlušinama s kukastim krstovima kod kuće crtao gnezda savijena poput šubare na vrh dedine ćelave glave, sa sve malim orlićima i sićušnim kukastim krstićima.

* * *

— Krstićima? — stalno je dečak prekidao dedu pitanjima.

— Da, jer nisam umeo da se potpišem. Nisam ja išo u školu kao vi danas — odgovorio je deda. — Onda su me pitali šta to piše, a ja sam rekao »Grgo, ko i moj đed«. On se isto zvao Grgo. A čovek u opštini napisao »Đorđe«.

Dedin deda, čudnoga imena Grgo Angjelović – posle smrti i on u pričama prekršten u Đorđa – neobičnu porodičnu priču je svom unuku, a Đurinom dedi, ispričao onih dana kad je silna austrijska vojska navalila na Bosnu i kad je predosetio novu u dugačkom lancu nesreća što će pasti na rod Smrčadi, kako su u Bosni zvali porodicu Grge Smrti.

U Mostar su, ispripovedao mu je, Smrčad došla iz Srbije, iz Požarevačke nahije, gde su sa slavnim Markom Abdulićem ustali protiv Miloša i u poslednji čas umakli sabljama kneževe vojske. Kako su onda bili katolici? Ko će znati.

Zna se jedino da su na svaki svoj put Smrčad kretala ispočetka, s jednim jedinim, poslednjim svojim muškim potomkom, i da su svaki pokolj muških glava, što je značio kraj jedne loze iz roda Smrti, preživljavali tako što je poslednji muškarac među njima bežao da se spase – u ženskoj odeći.

— Odakle si, neznanko? — pitao je onih davnih dana neki trgovac krupnu ženu na prašnjavoj carskoj džadi.

— Iz Srbije, iz Požarevca — odgovorila je ona dubokim, muškim glasom.

— Pa đe ćeš sama?

— Bilo đe. Đe ti putuješ?

— Daleko. U Mostar.

Tako je, vele, deda Đurinog dede u beloj devojačkoj nošnji iz Požarevca došao u Mostar. U Požarevac su, kaže porodično predanje, došli sa Kosova, gde su navodno izbegli veliki ustanički pokolj i seču svih muških glava u selima pod Mokrom Gorom.

— Odakle si, neznanko? — pitao je onih davnih dana neki trgovac krupnu ženu na prašnjavoj kosovskoj cesti.

— Iz Peći — odgovorila je ona dubokim glasom.

— Pa gde ideš sama?

— Bilo gde. Gde ti putuješ?

— Daleko. U Požarevac.

Tako je, vele, čukundeda Đurinog dede s Kosova došao u Požarevac. Odakle su, međutim, došli na Kosovo? Po jednima sa zapada, iz Vojne krajine, bežeći od pokmećivanja, po drugima s istoka, iz Grčke. Ne zna se tačno.

Ali zna se to da se svaki poslednji preživeli muškarac na kraju svoga puta udavao, bez ikog i ičeg svoga dolazio pod ženin odžak, uzimajući i njeno prezime, sve ne bi li prevarili smrt koja ih je pratila kroz vekove, i ne bi li nekako pred njom zametnuli svoj trag.

O da, Smrt je ženskoga roda. I nalazila ih je svaki put u trećem kolenu, sustižući prvo i drugo pre nego treće stasa za devojačke haljine i novi zbeg. I uvek u krug, do poslednje muške glave iz roda Smrti, do novog početka, novog prezimena, nove porodice koja će da je udomi kao rod rođeni – rod Smrti – da u nju poseju svoje ukleto seme.

Bežali su kao što kiša beži od oluje.

* * *

A kiša je padala u slapovima. Sklonili su se u istu onu staru drvenu lovačku kolibu u kojoj su se sakrivali kao deca, i u kojoj im je Zora Pakalović čitala iz čika Jovine pesmarice.

— Vidi ovo — rekao je Gajo. — »Borba, organ Komunističke partije, broj 1, Beograd, 19. oktobra«.

— Pa šta? — pogledao ga je Đuro.

— Pa Beograd.

— Šta Beograd?

— Piše Beograd, a štampali u Užicu.

— Pa?

— To valjda da ne bi Germanci saznali gde se štampa — nasmejao se Gajo.

— Baš.

— Nije džaba meni baba uvek govorila: komunistička štampa laže, bre.

Gaja Tanasković zvani Kurbla ovakve je šale mogao da govori samo pred Đurom Velagićem, drugom iz detinjstva.

Te noći njih dvojica su dobili zadatak da stotinu primeraka prvog broja »Borbe« preuzmu od drugova iz Užica i unesu u Kragujevac. Bio je to opasan zadatak, jer partizani tih dana ubiše nekoliko nemačkih vojnika, zbog čega su okupacijske vlasti bile van sebe od besa – pričalo se po gradu da su jednom Švabi, da izvineš, odsekli kurac i stavili mu ga u usta – i straže oko grada bile su znatno pojačane. Takav zadatak nije mogao da obavi niko sem njih dvojice. Đura Smrt i Gaja Kurbla poznavali su kragujevački kraj kao ovu lovačku kućicu: izlazili su iz grada kao iz škole, a ulazili u njega kao u bioskop.

U stvari, ako ćemo pravo, mnogo je teže bilo proći pored Žutog Radoja na ulazu u »Orion« nego pored nemačkih patrola i Nedićevih žandara na ulazu u grad. Kod Žutog nisu prolazili ni lažni ausvajzi, ni ženske haljine, a bogami nisi mogao ni da mu prosviraš kuršum u grlo kao toga jutra debelom nemačkom soldatu što se iznenada stvorio ispred njih i vikao za njima »Halt! Halt!«.

* * *

— Šta je vikao?

— »Pobij sve u pantalama!« — odgovorio je deda Đorđe polako. — »Pobij sve u pantalama!«, tako je vikao. »Ništa što je u pantalama da živo ne ostane, majku im jebem kaursku!«

— Čiju? — pitao je mali Đuro.

— Kaursku. To je... to su nevernici.

— Ali mi nismo nevernici.

— Znam, ali nismo... oni to nisu znali.

— A koje su oni bili vere?

— Turske. Muslomanske.

— Jel to dobra vera?

— To je ista vera.

— Kako sad to?

— Tako lepo. Jer je naša. Svaka je vera istoga roda.

Najgori su, pričao je deda, bili nikšićki i nevesinjski bašibozuci. Besneli su što im ni mutesarif ni muftija ne daju da udare na austrijsku vojsku, pa su udarili u strašni zulum i krenuli po Mostaru da pale, pljačkaju, ubijaju i siluju. I da pobiju sve muško, »sve u pantalama«.

Dedin otac Jakov znao je da je došlo vreme. Znao je to i pre nego je, pospremajući dućan, čuo povike iz mahale i glas ludog Alijage Hamzića: »Pobij sve šta je u pantalama!« Znao je to i pre nego će mu poludeli Alijagini bašibozuci dole kod šedrvana saseći najstarijeg brata Grgu, i Grginog sina Božidara. Samo ćerka Sana uspela je da pobegne. Otac je onda uleteo u kuću, izvadio iz sanduka belu devojačku haljinu i bacio je sinu jedincu, procedivši kratko: »Oblači to!« Dečak ga je gledao prestrašeno.

Tada je Đurin deda poslednji put video svoga oca. Bio je nasmrt prestrašen. Nije mogao ni da se pomeri.

* * *

Samo je trzao desnom rukom i nemo otvarao usta, hvatajući vazduh halapljivo, kao da će mu Đura Smrt i Gaja Kurbla oteti poslednji dah.

— Ubismo Germanca! Bog te jebo, ubismo Germanca!

Gaja nikad u životu nije ubio čoveka. Đura Smrt je na duši već imao dvojicu, dva četnika što su mu se jednom prilikom iznenada našli na putu, na starom drumu za Čačak. Gledali su se nekoliko časaka zbunjeno i bez reči, kao posvađane komšije kad se slučajno sretnu u kafani, pre nego što je Đuro izvadio svoj »luger« i jednim metkom ubio obojicu. Posle je video da onaj mršavi ima veliku rupu u obrazu, dok je debelog od straha pokosila srčana kap. »Posle Smrti nema života«, šalili se drugovi. »Reko je drug Tito da štedimo municiju«, šalio se njegov drug Gaja. Đura je ćutao.

Nemački vojnik pod njegovim nogama imao je iste ogromne bele oči kao onaj debeli četnik. Gasio se sporo. Tanki mlaz krvi liptao mu je iz ugla usana i ulivao se u veliku ranu na vratu. Još je nekoliko puta pridigao glavu u grčevitom pokušaju da udahne, a onda je klonuo.

— Bežimo!

Sklonili su se u prvu zgradu, provalili u ćumurluk i kroz prozor izašli u zadnje dvorište. Čuli su korake i metež.

— Ubiše ga! — vikao je neko. — Tamo! Tamo pobegoše!

Čuli su zatim podivljale nemačke glasove, zvuk automobilskog motora i jedan kratak rafal. Trčali su kao bez duše, jedva dodirujući zemlju, tako da im se ni trag u prašini nije video. Kod Obrenove česme odlučili su da se razdvoje. Gaja je rešio da se vrati u šumu, i uzalud ga je njegov drug ubeđivao da Nemci sada sigurno paze na sve izlaze iz grada.

Gaja je tada iznenada zagrlio Đuru. Pogledali su se bez reči.

* * *

— Tada si ga video poslednji put?

— Da — uzdahnu deda Đorđe. — Tada sam oca video poslednji put.

Pričao je Đurin deda još i kako se, oblačeći haljinu sestrične Mine, setio da je zla sreća kad se detetu oblači mrtvačeva odeća. Setio se kako je, onoga dana kad je umro njegov mali brat Mile, majka zapalila čak i čaršave u kojima je spavao. Tek mnogo godina kasnije shvatiće da sestričina Mina nikad nije ni postojala, i da je devojačka haljina u onom sanduku sašivena i spremljena davnih dana, da dočeka jutro kad će kaldrmom njihove mahale navaliti nikšićki bašibozuci, mašući sabljama i vičući: »Pobij sve šta je u pantalama!«

— Ali, tata — plakao je mladić. — Ja ću s tobom!

— Šuti! — čuo je očev glas odozdo. — Obuci to i idi materi!

Posle je čuo da su mu oca uhvatili iza kuće. Nisu ga odmah sasekli, kao brata mu Grgu, nego su ga vezali i odveli zajedno s ostalim muškarcima iz mahale. Iza avlijskih zidova čuli su se ženski krikovi i strašna lomljava, kao da je Neretva u divljem gnevu iskočila iz klanca i navalila na čaršiju.

Onda su banuli i u njihovu avliju.

* * *

Đura Velagić Smrt stigao je kasno, kad su zveri već otišle. Moglo je biti podne kad je najzad uspeo da se prikrade kući. Majka Vida se umalo onesvestila kad ga je videla na vratima. Plačući mu je rekla da su Nemci odveli i Julinoga Peku, i Životu, i komšije da su odveli, da hapse sve muškarce u Kragujevcu. Bili su s njima i ljotićevci, rekla je, opet su ga tražili. I Jevrin Danilo, seme mu se zatrlo, on je birao koga će da vode. Išao je sa tri Nemca od vrata do vrata i govorio: »Ti... ti... i ti!«

— Rekao je — plakala je majka — rekli su da će da streljaju...

— Koga, pobogu?

— Sve — procedila je. — Za svakoga ubijenoga Nemca.... Deset Nemaca da je ubijeno. Jutros ubiše jednog skoro usred grada.

— Gde, gde... — uzmuvao se Đura po kuhinji poput slepog miša, a onda iznenada stao. — Gde je Raša?

— Raša je u školi, htela sam ja da idem, al ne daju — rekla je majka, a onda opet počela nekontrolisano da plače.

— U školi je?

— Htela sam ja da idem...

— Idem ja odmah.

— Ne idi! — vrisnula je. — Naći će te, odvešće te... nemoj nigde da ideš. Htela sam ja da idem, pa ne daju.

— Ubiće ga, mama. Ubiće Rašu.

— Neće, sine, neće decu. Kažu da neće decu da diraju. Htela sam ja...

— Ćuti bre, mama!

— ... da idem.

— Ćuti, ja ću. Idem ja po njega.

* * *

— Niđe ti ne ideš! — rekao je ledenim glasom onaj najveći, s velikom kuburom za pojasom.

Đurin deda seća se kako je majka stala pred njega, uhvatila ga čvrsto za ruku i tihim glasom, bez zamuckivanja, pogledala bašibozuka ravno u oči.

— Radi od mene šta hoćeš — rekla je. — Samo mi nju ne diraj.

Stiskala mu je ruku do boli.

— Sirotica je nijema, bolesna je.

Nikšićanin je gledao trenutak-dva, a onda provalio u divlji smeh. Odgurnuo je majku i uneo se u mlado muško lice pod belom devojačkom maramom.

— Nijema, kažeš? — rekao je, a onda mu krenuo nožem prema ustima. Tupom stranom sečiva razmaknuo mu je usne i zube. Mladić je stajao otvorenih usta. — Ako je nijema, vala joj ni jezik ne treba.

— Ne! — kriknula je majka.

Đurin deda seća se svake reči, svakoga trenutka, i pamtiće ih je dok je živ. Majka je trojicu Nikšićana gledala ravno u oči i počela da raskopčava bluzu, polako, kao da ide na spavanje. Čvrste su joj, velike grudi zasjale na časak zasleplјujućom belinom i zlatom nanizanih dukata, pre nego će se okrenuti od sina i stati pred bašibozuke rastvorene bluze.

Pamti Đurin deda da je doista zanemeo tada, od zaprepašćenja i straha. Veliki se Nikšićanin tiho smejao, spustio nož s njegovih usta i uglavio ga za pojas. Stao je onda pred majku i krenuo svojom ogromnom rukom prema njenim grudima.

— A ovo? — rekao je podigavši nisku dukata sa dojke. — Vala ćemo i ovo skinuti. Da ne smeta.

Povukao je snažno majčinu ogrlicu, ali zlatnike nanizane na dlaku konjskog repa nije uspeo da strgne. Povukao je još jednom, jače, i majka je bolno zajaukala. Krenuo je zatim da joj ogrlicu podigne iznad glave, ali nije išlo. Podivljao je. Majka je stenjala i držala konjsku dlaku čvrsto utisnutu u vrat, a Nikšićanin je vukao sve jače. Onda je povukao svom snagom i majka se srušila na šljunak avlije. Oko vrata joj se ocrtala tanka crvena ogrlica.

Kad su bašibozuci skočili na nju kao vukovi na ranjenu ovcu, nije pustila ni glasa. Čulo se samo teško muško dahtanje i stenjanje, psovke i smeh, grgolјanje i ječanje, a mali je Grgo stajao uza zid avlije i nemo plakao.

* * *

Nije se pomicao. Nije disao. Prsa su mu se nadimala u ženskoj bluzi s crvenom šarom, u koju ga je majka skoro silom obukla. Iako je već oblačio haljine sestre Jule i prolazio u njima nemačke straže, iako je u njima bio i na dedinoj sahrani, Đura se danas u njima osećao slabo i jadno, kao da ga u devojačkoj odeći napušta sva muška snaga. Lupanje na ulaznim vatima bilo je sve jače, a onda je začuo i majčin glas.

— Nema nikoga ovde, bio je već Danilo, pitajte Danila — govorila je majka. Onda su se čuli grubi, nerazumljivi nemački glasovi.

— Danilo, Danilo Čavić — govorila je majka. Nerazumljivi glasovi bili su sve bliži.

— Samo smo ja i ćerka tu... Mali je u školi. Pitajte Danila.

Drvene su grede škripale pod vojničkim cokulama.

— Ko boga vas molim — čuo je majčin glas, sve tiši.

Kad su se vrata s treskom otvorila, više nikog nije bilo u sobi. Đuro je pretrčao dvorište, preskočio niski zid i nezgrapnim korakom, sapet haljinama, sjurio se niz ulicu. Stao je iza ugla i teško dahćući osvrtao se levo i desno.

Sabirao je uskovitlane misli. Morao je da ostane u sobi. Šta kad Švabe vide da nema nikoga? Majka je rekla da je unutra ćerka. A on se usro, baš se ko pička usro. Opet, Švabe nisu mogle da znaju šta majka govori. Sigurno nisu razumeli ni reči. Ili jesu? Možda je ipak bilo neko ljotićevsko đubre s njima, uvek je jedan s njima. Nije, međutim, čuo nikoga sem Nemaca. A zašto su se uopšte vraćali, kad su već bili jutros? Tražili su nekoga. S druge strane, da su ga i našli u sobi, otkrili bi odmah da je muško.

Otkrili bi to, nema nikakve sumnje. Haljine i marama stajale su na njemu kao na strašilu kod deda Pavla.

Nije smeo tu dugo da ostane. Čuo se žamor na okolnim ulicama, jauk i vriska, i težak bat vojničkih čizama. Čula su se preklinjanja i proklinjanja. Muški su glasovi bili nemački, ženski plač je bio srpski. Sklonio se sad iza velike gomile drva za ogrev i pokrio nekakvim vlažnim šatorskim krilom.

Niz Vojvodinu ulicu išla je velika kolona muškaraca, okružena Nemcima sa mašinkama. Ljudi su bili bledi i nasmrt preplašeni. Prepoznao je Kebu. I Velju. I Ozrena. I Ozrenov otac je tamo. Pogledavali su se i hodali u tišini. Samo su Nemci izvikivali neke kratke, tvrde reči. Najpre bi viknuo onaj oficir sa čela kolone, a onda bi vojnici ponavljali za njim, kundacima pušaka gurajući muškarce u koloni. Žene se nisu videle. Njihovi su krici dolazili iza ugla, iz kuća i dvorišta. Tek su u jednom trenu dve žene utrčale na ulicu. Nemački vojnik nogom je oborio onu mlađu, a starija je preko nje pala na leđa.

Nije kolona ni prošla ugao ulice, a već je sa dna išla druga. Prizor je bio isti. Na čelu je išao SS-oficir u crnoj uniformi, a iza njega dugačak dvored. Primetio je da niko ne trepće: velike oči su zverale levo i desno, pogledavale se među sobom kao da traže nešto, nešto za šta bi se uhvatile, neku tačku, neko objašnjenje.

Jedan muškarac u koloni rekao je da ih verovatno vode na železničku stanicu. Drugi je čuo da ih vode u Šumarice. Treći se okrenuo, ali nije stigao ni da otvori usta. Kundak ga je presekao po rebrima.

— Majku vam jebem — siktao je bolno. — Majku vam jebem!

Usledio je novi udarac, još jači, ali čovek nije pao.

— Majku vam jebem... — cedio je kroz zube tiše — majku vam... jebem!

Nemac je potpuno pobesneo. Mlatio je čoveka kundakom po licu i dok je nepomično ležao na putu.

* * *

Kad se osvestio, više nije bilo nikog. Majka je ležala u dnu avlije, pod velikim grmom belih ruža. Bila je polugola.

— Bježi, sinko moj — razabrao je iz krvavog majčinog zadaha. – Bježi, vratiće se oni opet. Ja ću biti dobro, ne brini.

Zašto je pobegao, zašto je ostavio majku? Zato što se bojao, zato što nije mogao da je gleda, što su mu se stalno vraćale strašne slike bašibozučkih zveri na majčinom nagom telu, što mu se pred očima još kezio onaj brkati džin s majčinom sisom u žutim zubima, zato što se bojao i što nije više mogao da sluša njegovo stenjanje i njene tihe, jednolične jauke. Zato što se bojao. Bojao se svim strahom ovoga sveta, i nijedan strah tog dana na celom svetu nije ostao za druge muškarce, samo tupi mir s kojim su sedeli uz ogradu mesdžida, čekajući svoj red za bašibozučki nož i tiho klanje.

— Zato što si se bojao? — pitao je mali Đuro.

— Ne — odgovorio je deda oklevajući. — Čuo sam galamu sa dna sokaka, opet su dolazili. Majka je rekla da bežim i da potražim sestru Sanu, da spasem sestru, i brata od strica, Pavu. Uneo sam majku u kuću i skočio kroz prozor.

Deda je, kaže, satima trčao. Ženski krikovi iz mahale bili su sve dalji i sve tiši, a on je trčao, saplitao se o haljinu, padao, dizao se i trčao.

* * *

Stao je tek kad je došao do kuće Jeretića. Kad se uverio da je sigurno, Đura Smrt je tiho pokucao na kuhinjski prozor. Posle dužeg kucanja, zavese su se polako razgrnule. Tetka Mila je tiho vrisnula kad je pod ženskom maramom prepoznala Đuru. Otvorila je prozor.

— Sve su ih odveli, Đuro — rekla je suvim, hrapavim glasom. — Sve su ih odveli.

— Gde je Sreten? Jesu li došli iz škole, je li Rašo s njim?

— Sve su ih odveli — ponavljala je tetka Mila. — Celu su gimnaziju odveli, nema nikog u školi, nema Sretena. Sreća da mu je majka umrla, bog da joj dušu prosti, pa da ne doživi ovo. Tucko, Peja, Ozren, i stari Radan, sve su odveli, decu su odveli. Sreten, sreća moja! Đuro, sine, šta se dešava?

— Video sam Ozrena i starog. Vode ih, izgleda, u Šumarice, ili na železničku stanicu.

— Đuro, sine, šta se ovo dešava? — krstila se tetka Mila. — Sreten, sreća moja! Ni doručak nije uzeo jutros. Decu su odveli, Đuro! Gde si video Ozrena?

— Dole, u Vojvodinoj.

— Ni doručak nije uzeo, vidi. Ubiće ih, Đuro.

— Neće, tetka. Možda ih vode u radne logore. Neki kažu da ih vode u radne logore. Što bi same muškarce vodili?

— Ubiće ih, Đuro. Reko mi Ljubo. Reko mu Danilo. Sve će da ih pobiju, sve muškarce u gradu. Đuro, sine... beži. Spasi glavu.

Znanim prečacima, kroz dvorišta i šljivike, Đura Velagić Smrt je bežao iz grada. Ženski krikovi bili su sve dalji i sve tiši, a on je trčao, saplitao se o haljinu, padao, dizao se i trčao.

* * *

Kad se popeo na Hum i pogledao na grad u kotlini, nije se više ništa čulo. Presečen tirkiznom crtom reke, prošaran belim oblacima kamenih krovova i zelenim krpama velikih krošnji, Mostar je ležao u dnu kotline nesvestan nesreće Angjelovića.

Mladom Grgi, dedi Đure Velagića, sve je ostalo dole. Znao je da se nikad neće vratiti. Dugo je gledao svoj grad. Opraštao se od oca, sestre i brata, od bratića, ujaka, od prijatelja, od Salka, Meše, Vidoja, Zefa i Dragog. Opraštao se od fra Ilije, od Dunje i Mirne, od nane Ilke, od grada iz kojeg nije izbivao jednog jedinog dana u celom svom veku, iz kojeg nikada nije otišao nigde odakle se nije videla Karađozova džamija, nikad dalje od ove zidine na Humu.

Opraštao se od majke koju, verovao je, nikad više neće videti. Nije tada mogao znati da će je viđati do kraja života, svaki put kad sklopi oči, nije znao da će je svakoga preostalog dana viđati kako raskrečenih nogu leži pod grmom belih ruža, da će slušati njene tihe jecaje, gledati njenu crnu kosu kako se sa svakim jecajem vuče naprednazad po šljunku avlije, i uvek onaj žutozubi grmalj na njenim grudima, i mlaz krvi što iz njegovih usta klizi niz belu majčinu dojku.

Opraštao se Grgo Angjelović od sebe, sedamnaestogodišnjeg dečaka što je ostao dole u mahali, okovan strahom uza zid avlije. Ovaj čovek gore, na brdu Hum, nije imao više ništa s njim, ništa sem poderanih ženskih haljina. Poslednja muška glava mostarskih Angjelovića, prva muška glava neke nove porodice, negde daleko, što dalje odavde, samo što dalje.

Još jedan pogled i okrenuće se, zauvek.

* * *

Pa ipak, nije mogao da se pomeri s mesta. Dole, u Šumaricama, stalno su pristizali novi kamioni, natrpani slomljenim telesima što su ćutke iskakala i stajala u vrstu.

Jednim pogledom odozgo Đura Velagić Smrt je mogao da sagleda ceo taj strašni proizvodni proces, organizovan poput neke nemačke fabrike. S desne strane velike ledine muškarci su iskakali iz kamiona: video je potpuno sumanute reakcije ljudi čiji su umovi odbijali da shvate gde su. Neki su tako pitali nemačke oficire gde treba da stanu, drugi se trčećim korakom uključivali u vrstu pazeći na ravnu liniju, treći vikali na one što ne razumeju gde je levo, a gde desno.

Na drugoj strani, grupa vojnika izdvajala je i sprovodila grupe od po dvadesetak muškaraca. Na čelu je stajao oficir koji im je desnom rukom davao znak da sačekaju, sve dok s njegove leve strane visoki SS-ovac ne bi dao znak da krenu. Oficir je onda otvorenim dlanom pravio krugove, kao skretničar na železničkoj stanici, pokazujući dvadesetorici da požure. Na obronku omanjeg brega poređali bi ih i naredili da se okrenu leđima. Visoki SS-ovac pogledao bi levo i desno, i dao znak.

Svako je streljanje Šumaricama odjekivalo tačno šest puta. Zvuk je do Đure stizao s malim kašnjenjem: dok bi čuo prvi plotun, dvadesetak se klonulih tela već kotrljalo niz padinu brega. Dok bi došao drugi, tela su nepomično ležala na obronku. Još se ne bi stišao treći, a dva Nemca su dole preskakala leševe i revolverima dokusurivala jadnike koje metak streljačkog voda ne bi usmrtio na mestu. A kad bi se izgubile i tri jeke revolverskih hitaca, već bi onaj oficir desnom rukom požurivao sledeću grupu, a iz kamiona iskakalo novih pedesetak muškaraca.

Nema nikakve sumnje da su znali šta sledi. Đura Smrt, međutim, nije video pokušaj bekstva ili pobune. Odozgo, sa brda, izgledalo je da bi stotine nesrećnika mogle da se spasu, samo kad bi pojurili u očajnički proboj. Ona grupa tamo sasvim desno, pored kamiona, nema ni pedeset koraka do šume. Kad bi potrčali, možda... Ipak, ukočenim trčećim korakom poslušno se pridružuju ostalima, zbijenima kao ovce između kamiona i kordona stražara. Kad bi sad, svi odjednom, mislio je Đura Velagić Smrt, kad bi sad krenuli, koliko bi ih izginulo pre nego savladaju nemačke vojnike? Trideset, četrdeset, stotinu, dve? Spaslo bi ih se barem polovina. Odavde, sa brda iznad Šumarica, videla se njihova poslednja šansa. Nisu imali šta da izgube. Oni dole to nisu znali.

Prenuo ga je novi plotun, onda opet jeka, pa dva revolverska hica. Dole tek malo komešanje, onda sve iznova, znak desnom rukom, nova kolona, i evo tek sad jedan se čovek u kožuhu bez rukava baca ničice, diže ruke u vazduh, krši ih, pa opet pada na tle, nastaje mala gužva. Prekida je jedan revolverski hitac, van uhodanog reda, van sistema, poput fabričke greške.

Đura je pogledom tražio manja tela. Gledao je čas desno, u kamione što su dolazili iz grada, čas levo, u gomile leševa na padini brega. Tražio je decu iz gimnazije, Sretena, braću Cvejić, tražio je brata Rašu, ali nije mogao da ga nađe.

Poslednji je kamion došao pre ceo čas, i na ledini je ostalo još samo stotinak jadnika, koji su se sabili jedni uz druge kao jagnjad kad bi deda Pavle birao koje će da kolje. Sada je znao da je Raša tamo negde dole, pod onom gomilom beživotnih tela. Znao je to, jer je stajao iza velike omorike u beloj ženskoj suknji i bluzi sa crvenom šarom, spreman za svoju ulogu. Poslednja muška glava Velagića.

Setio se brata kad ga je poslednji put video, pre dve nedelje. Hteo je burazer da ide s njim u partizane i da puca iz mitraljeza. A Đura mu je onako, glasom pokojnog oca, odgovorio da je njegovo da uči, da završi školu, jer posle rata trebaće učenih glava. Da je barem tako rekao zato što je to zaista i verovao – razmišljao je sada – a ne samo zato što je red da se detetu tako kaže.

Manje bi ga bolelo.

* * *

Manje bi ga bolelo, mislio je, samo da je mogao da zatvori oči i da ne gleda. Da je okrenuo glavu na drugu stranu, da je pobegao u kuću, da je uradio bilo šta, umesto što je celu večnost gledao kako je mrcvare, bacaju u ružičnjak, potežu po avliji i skaču na nju. Da nije čekao da ga majka pogleda u oči i kaže nešto, da mu kao i uvek kaže šta treba da radi. Da je okrenuo glavu kao što je okrenuo glavu sada, i da je zapamtio majku onako kako će ostatak života pamtiti Mostar, lepu malu varoš koja je svoju nesreću, dole sa dna kotline, skrivala tišinom i mirisom raspuklih narova.

Ko zna koliko je Grgo lutao, bosih nogu prekrivenih velikim krvavim ranama, i bose glave prekrivene belom maramom. Već prvog jutra, pod nekom starom ćuprijom, probudio se ćelav, bez ijedne vlasi na telu. Nije bilo ni onih prvih mladalačkih dlačica što su mu prošlog leta izbile ispod nosa i donje usne. Te su mu crne noći kraj reke ispale sve dlake, od užasa i tuge, da nikad više ne narastu.

Spavao je pod ćuprijama i u napuštenim stajama, danju gazio kamen i prašinu, izbegavajući silne vojske koje su se tih dana valjale Hercegovinom. Neke su stupale napred paradnim korakom, druge se povlačile pognutih glava.

Između njih, poput aveti, vukla se putem prema Konjicu čudna prikaza u pohabanim i prljavim ženskim haljinama.

* * *

Pričalo se posle po kragujevačkom kraju da su neki u šumama Rudnika videli duha, drugi su tvrdili da je to bela šumska vila, koju je ratna grmljavina probudila iz vekovnog sna.

Jutro posle one strašne jeke nad Šumaricama pokušao je da uđe u grad, ali sve je bilo puno nemačke vojske. Na maloj železničkoj stanici van grada video je plakat. Velikim crnim slovima pisalo je »Standortkommandantur Kragujevac«, a s druge strane »Mesna komandantura Kragujevac«. Levo »Bekanntmachung«, desno »Obznana«. Brat Neđa – pomisli – nije voleo ovakve plakate, proglase od samih crnih slova, bez kukastih krstova i petokrakih zvezda, bez venaca i ukrasa.

Sa jedne strane na nemačkom, a sa druge na srpskom, pisalo je: »Kukavički i podmukli prepadi u toku prošle nedelje na nemačke vojnike, kojom prilikom je poginulo deset, a ranjeno dvadeset i šest nemačkih vojnika, morali su biti kažnjeni. Zbog toga je za svakog poginulog nemačkog vojnika streljano stotinu, a za svakog ranjenog pedeset stanovnika, i to pre svega komunista, bandita i njihovih pomagača, ukupno dve hiljade i trista. U buduće će se za svaki sličan slučaj, pa bila to samo sabotaža, postupiti s istom strogošću.«

Podigao je parče uglja i u dnu plakata nacrtao petokraku zvezdu. Onda joj je ucrtao oči i usta. Izgledala je kao deda Đorđe pod šubarom, onako klempavih ušiju, ravnih, bezubih usta i sitnih očiju bez obrva. Kad se odmakao, baš je nekako ličila na mrkog planinskog orla.

Udaljio se još više, i Der Standortälteste, starešina Mesne komande, već je bio potpisan cvetom sa malom pčelom na prašniku. Ili je to bila velika španska lađa, kakvu je deda pravio od novinske hartije?

Ko zna koliko je lutao, bosih i krvavih nogu, mutna pogleda i ispucalih usana. U haosu velike nemačke ofanzive izgubio je vezu s drugovima, saznao je od nekog seljaka da su se povukli prema Bosni. Polulud, u haljinama koje su sada doista izgledale kao dronjci lutajućeg duha, došao je do Užica, ali tamo odavno više nije bilo ni Tita ni partizana.

Negde pod Tarom planinom, kraj Bajine Bašte, seo je uz drum i pokušao da se seti kako mu se zovu braća. Padao je sneg. Tresao se. Onda je tihim glasom od malih oblačića pare stao da slaže odnekud poznate stihove: »Ne miče se, mirno stoji, taj se mene baš ne boji...« Sićušna pahuljica pala mu je na vrh prsta. »... Još mu ruka ćuškom preti, ti utvaro, ti aveti... ko si ti?«

Polako je pahulju prineo očima. Mali je ledeni kristal imao poznato lice. Časak pre nego će se rastopiti, čuo je kako govori.

— Ko si ti?

* * *

Okrenuo se i video kola što su ih vukle dve oronule rage. Nije ništa odgovorio.

— Odakle si, neznanko? — pitala je neobična prilika na kolima.

— Iz Mostara — odgovorila je dubokim glasom mlada nesrećnica u poderanim haljinama.

— Pa sama? — rekao je glas. Nije mu se videlo lice. Jedan je konj zarzao i zarovao kopitom po prašini. — Nije za đevojke da idu same. Mnogo je vojske. Đe ćeš tako sama?

— Bilo đe. Đe ti putuješ?

— Daleko, u Srbiju. Rat je gotov i vraćam se kući. U Kragujevac.

* * *

Konj je drugi put zarzao i ispustio veliki oblak pare. Prikaza u belim ženskim haljinama i bluzi s crvenom šarom nije podizala pogled. Kapljica je kliznula niz prst. Drhtav, slabašni glas jedva da je bio glasniji od snega koji je padao sve sitniji i ređi. »Jesil' kepec il' si div?... Jesil' mrtav il si živ?«, tiho i ravno govorila je utvara. Konj se propeo i srebrni zvuk praporaca raspršio se vazduhom. »Sa čela ti pakost čitam... ma čuješ li... šta te pitam...«

— Ko si ti? — ponovio je muškarac na kolima. — Odakle si?

Čudna je prilika sedela i gledala u vrh prsta.

— Iz... - procedila je najzad, s mukom. Bela se marama zanjihala, glava je pala unazad, a brada jedva vidljivo zadrhtala. Đura Velagić Smrt nije mogao da se seti.

— Iz... tamo — ispustio je dugačak, težak uzdah i pružio onaj kažiprst prema planini.

— Pa sama? — pitao je putnik odozgo. Putnik je sada morao da vidi lice obraslo bradom na koju se nahvatalo inje, pa ipak je pitao: — Rat je, neznanko, zima, studen. Gde ideš sama?

Lice pod maramom gledalo je u veliko konjsko oko. Podigao je glavu još više. Video je da putnik, zaogrnut teškim gunjem, u jednoj ruci drži flašu, a u drugoj uzde. Nije mu video oči.

— Bilo gde... Gde ti putuješ?

— Preko, u Bosnu — ispustio je čovek na kolima veliki beli oblak. — U Srebrenicu.

Đura je spustio pogled. Gledao je u modru jagodicu kažiprsta i pokušavao da se seti kako mu se zovu braća. Iz očiju mu je padao tihi sneg.

Poglavnikova bakterija

KAKO JE SVE počelo? I kada? — pitala je uga-
sivši cigaretu i stavljajući veliki buket žutih ljiljana u vazu.

Kako je sve počelo? Danas kad razmišlja o svemu, niz
tih neobjašnjivih i naizgled nepovezanih događaja zapo-
čeo je par dana nakon što se vlakom vratio iz Zagreba,
kad su ga visoka temperatura i mučnina oborile u krevet.
I ništa se dogodilo ne bi, kao što se vjerojatno ništa ne bi
dogodilo do kraja njegova života, da mu one nedjelje
mlada vojska na zagrebačkom kolodvoru nije zauzela ku-
pe i da nije morao sjesti u susjedni odjeljak, s nekim pro-
fesorom i dvije časne sestre.

Možeš mi, jebi ga, vjerovati ili ne, mislio je naglas, ali
ja ti pripovijedam točno kako je bilo. Nije isto lagati i
prešutjeti. Prešutjeti je gore nego lagati, sad to znam. Laž
može biti i utjeha i nada, a neizgovorene stvari u zrako-
praznom prostoru šutnje narastaju u čudovišne i nepoj-
mljive istine, neuvjerljivije i opasnije od najgore laži.

— Ne seri — rekla je ravnodušno.

* * *

Pave nije izgledao kao čovjek po čijoj se biografiji snima-
ju filmski epovi, ali kad bi netko snimio njegovu istinitu
priču – znao je ponekad zamišljati – uz sitne dramaturške
intervencije mogao bi to, zapravo, biti posve pristojan

film: posao ga je tjerao po svijetu, radio je u Libiji, Ukrajini i Njemačkoj, gdje je u efektnom raspletu zaradio, pa izgubio veliki novac na kladionici[1]. A sve bi to bilo dovoljno tek da se u tri rečenice uvodnog telopa ispiše kao prolog za triler koji ne bi započeo ni na zadnjem sjedištu terenca jedne talijanske inženjerke u Tripoliju, ni u krevetu ukrajinske prostitutke u Harkovu, ni na tepihu one nogometaševe žene u Zwickauu, već na najobičnijem trosjedu u njegovu splitskom stanu, jednog kišnog poslijepodneva u listopadu, dosadnog i praznog kao i svih tri tisuće šest stotina i pedeset njegovih poslijepodneva na Brdima, pred upaljenim televizorom, s toplomjerom pod pazuhom, šalicom hladnog čaja na stoliću, tupim bolom u glavi i drugom ženom na službenom putu u Rijeci.

Kad je s ulaznih vrata zazvonilo iritantno zvono s melodijom Prvog klavirskog koncerta P. I. Čajkovskog – njena ideja! – očekivao je Svena s tiketima za klađenje, pa je samo viknuo »Otvoreno je, uđi!«. Pridigao se i sjeo na trosjed, pogledao toplomjer koji je pokazivao 38,4 i uzeo kutiju Kenta sa stolića. Čuo je kako se vrata zatvaraju, zapalio cigaretu, povukao dim i istog trenutka kroz vulkanski kašalj opsovao sva nebeska bića kojih se mogao sjetiti. Ugurao je netom pripaljenu cigaretu u punu pepeljaru, zgrčio se u bolnom hropcu i u papirnatu maramicu ispljunuo lijep zelenkasti komad duše. Maramicu je presavio dva puta i onda njome obrisao suzne oči, podi-

---

1   U Zwickauu je Pave bio oženjen s Ulrike, kćerkom trgovca vrtnim patuljcima, i istodobno održavao vezu sa suprugom nekog drugorazrednog nogometaša, koji je kao rezerva u posljednjim sekundama utakmice s Hansom iz Rostocka postigao pobjedonosni gol i donio ljubavniku svoje žene pola milijuna maraka na kladionici. Priča se da je Pave prijenos utakmice gledao ležeći među nogama strijelčeve supruge i da je svršavao vičući »Goooool!«, nakon čega se ona – vidjevši vlastitog muža na televiziji kako slavi pogodak skidajući dres i pokazujući kameri majicu s natpisom »Ulrike, sretna godišnjica« – rasplakala i izbacila ljubavnika iz kuće. Bilo kako bilo, Ulrike je kasnije uz pomoć očevih odvjetnika, koji su dokazali da je ona Pavi dala tri tisuće maraka za ulog u kladionici, izvukla gotovo cijeli dobitak i udala se za suvlasnika kladionice. (Bild, 12. ožujka 1993.)

gao pogled i... i osjetio pod nogama kako se zemaljska kugla prestala vrtjeti.

Bacio je maramicu, još jednom protrljao oči i lagano navukao prekrivač preko gaćica: na vratima je stajala zanosna žena duge crne kose, naslonila se na dovratak i jednim pokretom desne ruke rastvorila kišni ogrtač.

* * *

Ispratio je Nepoznatu pogledom do dizala, zatvorio vrata i vratio se na trosjed tragom slatkastog mirisa, skupljajući hodnikom komadiće zbrkanih misli. Tko je bila ta žena? Nikad je u životu nije vidio, u to je bio posve siguran, jer takvu bi divlju ljepotu zapamtio sve i da je vidio u reklami za ženske uloške. Nije htjela reći ništa o sebi, ni kako se zove, ni odakle je, ni što znači ona neobična tetovaža pod lijevom dojkom, ni hoće li je opet vidjeti.

Zašto je došla? Da vjeruje njenoj potpuno suludoj priči da ga je zapazila jučer u čekaonici kod doktora Galičeka, gdje je završio dan nakon povratka iz Zagreba, odakle je donio bakine kobasice i ovu jebenu upalu grla? Da povjeruje kako ga je iz Galičekove ordinacije pratila do stana na Brdima, i kako se cijelo jutro muvala po kvartu prije nego što je skupila hrabrosti da mu pozvoni na vrata? Da joj povjeruje kako ima nešto u njemu, kako je to nešto vidjela u njegovim staklenim, neonskim očima dok je kašljao svojim, baš tako je rekla, hrapavim baritonom? Eto, ne moraš mi vjerovati, dodala je na kraju, kao da mu je ta priča uopće bila važna dok su mu se oči baš poput neonskih cijevi u kuhinji žmirkajući gasile među njenim sisama, a on joj, kreten, mucajući objašnjavao da ništa u njegovim staklenim očima nema osim visoke temperature i upale grla?

Ako je pak sve to istina, onda je to tako tipično za njegov usrani život. O da, bio je to isti onaj bradati tip odozgo, staro zlopamtilo što ga je zajebavalo svaki put kad bi Pave potražio malo zabave[2]. Nije bilo nikakve sumnje u to: poslao mu je svemogući Veliki Šef Sviju Makroa tog pohotnog crnog anđela s najokruglijim sisama koje je ikad vidio, Njegov joj je prst pokazao put, kao da je sama Salma Hayek, ili ne, još bolje, kao da je Monica Bellucci došla u neugledni, oronuli betonski bunker u Hercegovačkoj ulici tražiti na petom katu upravo Pavu, sredovječnog referenta za video-nadzor u Gradskoj sigurnosti, i to baš sad, kad mu je žena bila na službenom putu. I naravno, baš kad je bio iscijeđen nezamislivim glavoboljama, mučninama i temperaturom na kojoj vrije znoj, bezvoljan i jadan poput davno sasušene polovice limuna u plavoj keramičkoj zdjeli iz Libije.

I malo što mu je gola božica ušetala usred gnojne upale ždrijela, jer morao bi Svemogući umjesto angine poslati barem najezdu skakavaca s virusom ebole kako bi ga spriječio da zagrize ovu jabuku: Nepoznata je nakon pet minuta hrvanja na trosjedu, pokušavajući mu valjda jezikom oblizati cijeli grkljan iznutra, iznenada ustala, navukla ogrtač i cipele, još ga jednom strasno poljubila, krenula ka izlazu i maznim glasom poručila da će se vratiti čim ozdravi.

Uzalud je, očajan, preklinjao da se vrati, uvjeravajući je da se upala grla ne prenosi trljanjem jezika o ždrijelo. Nepoznata se pred vratima dizala okrenula, zadigla ogrtač da se počeše ispod stražnjice, namignula koketno poput one kurvice iz reklame za talijanske čokoladne šta-

---

2   Kao onda kad je u Libiji usred predigre na stražnjem sjedištu otkazala ručna kočnica na Domaldinom Landroveru, ili kad je onomad u Harkovu, tek pošto se na njega i debelu prostitutku srušio težak luster, shvatio da se krevet ne trese od seksa, nego od potresa. Najzad, baš kao u Njemačkoj, kad je konačno odradio posao do kraja, najskuplji seks svog života, koji će platiti pola milijuna njemačkih maraka. Nakon čega je konačno shvatio da netko jako moćan i uvjerljiv kažnjava svaki njegov ljubavni izlet, pa se vratio u Hrvatsku, oženio malom Vlajinom i sljedećih deset mirnih godina proveo pred televizorom – bilo u trosjedu stana na Brdima, bilo za radnim stolom zaštitarske tvrtke u kojoj se zaposlio na video-nadzoru.

piće i nestala iz njegova života onako kako se u njemu i stvorila, kao snoviđenje iz znojne groznice.

* * *

Pola sata kasnije stigao je Sven s listićima iz kladionice i Pave mu je sve ispričao. Sven se, naravno, smijao svakoj novoj potankosti njegove rijetko blesave priče, zaključivši da je streptokokna angina tri puta bolja od trave. I tek tada Pavi je palo na pamet da pogleda nedostaje li mu što u stanu, tek tada sjetio se da ga je Nepoznata prilično dugo tražila po hodniku. Tek tada sjetio se ugrađenog sefa u predsoblju, ispod ogledala, onoga što mu je upravo Sven ugradio zajedno s video-sustavom – malog njemačkog kućnog sefa kojeg je prestao zaključavati još otkako je sa ušteđenim novcem kupio polovnog Opela, i otkako je služio samo za travu i Jelenin obiteljski nakit. Točno je ćutio kako mu se krv pretvara u tekući dušik i visoka temperatura u trenutku pada na točku krioničkog mraza, hladeći se od pomisli kako će uvjerljivo zvučati kad Jeleni bude objašnjavao da joj je bakin nakit odnijela crna kurva odjevena samo u crne haltere, mrežaste čarape i kišni ogrtač.

Skočio je neobično hitro za čovjeka rastočenog temperaturom i mučninama, rastvorio ogledalo u hodniku i otvorio sef.

— Nedostaje li što? — pitao je Sven iza njega.

— Ništa — rekao je tiho nakon nekoliko trenutaka. — Sve je tu.

* * *

Cijelo je sutrašnje jutro proveo ležeći na trosjedu. Nije mogao prestati misliti na Nepoznatu, pa je nekako lakše podnio već treći dan kako ništa nije jeo. Ćutio je kako mu pulsiraju natečene vratne žlijezde, boljelo ga je svako gutanje, kao da mu je umjesto Adamove jabučice u grlu zapela glava helebarde. Nije mogao piti niti čaj, a bačvu zaslađenog čaja Jelena mu je pripremila prije puta, sve i da je volio tu ustajalu žućkastu kišnicu izgleda i okusa pišaline, od koje je mrzio jedino to isto s medom, zbog čega je svojedobno svoju ljubavnicu iz Zwickaua, grudi prelivenih medom od švarcvaldskih borovnica, zbunjenu poslao na tuširanje. Onda je zazvonio telefon i kolega s posla ga je pitao je li sve u redu s mobitelom.

— Kakvim mobitelom? — odgovorio je Pave, a kolega ga je podsjetio da mu je u vlaku iz Zagreba ostao mobitel, da ga je našao kondukter i da su sa Hrvatskih željeznica nazvali memorirani broj na poslu.

— Rekao sam da si bolestan i dao im adresu — rekao je na kraju kolega. — Jesu li ti ga vratili?

— Ali meni nije ostao mobitel u vlaku — smeteno je odgovorio Pave.

— Nego gdje ti je ostao? — pitao je opet glas s druge strane žice.

— Nigdje, jebote — rekao je Pave. — Mobitel je kod mene cijelo vrijeme.

— Ne razumijem, zašto bi onda zvali?

— Nemam pojma — rekao je Pave i spustio slušalicu.

Vratio se na trosjed i po tko zna koji put pokušao zapaliti cigaretu, iskašljavši se u papirnatu maramicu. Zabacio je glavu na jastuk i pokušao povezati stvari. Bio je dobar u tim stvarima, tim detektivskim igrama, prvak tvrtke u pogađanju raspleta trilera i kriminalističkih filmova. Odmah mu je bilo jasno da su tajanstveni poziv sa željezničkog kolodvora i još tajanstveniji posjet zamamne crnke u vezi, ali nije mogao dokučiti kakvoj. Bilo mu je jasno i da ga Nepoznata nije srela u Galičekovoj ordinaciji, i da je netko zajedno s njom izmislio priču s mobitelom da bi u njegovoj tvrtci saznao adresu. Ali zašto? Na to pitanje nije imao odgovora.

Nije Pave bio nitko vrijedan ičije potrage, bio je on isuviše beznačajan crv da bi ga netko pratio i tražio. Nije bio ni kriminalac, ni špijun, ni ratni zločinac, tek četrdesetogodišnjak koji zapišava zahodsku dasku, ispunjava listiće sportskih kladionica i gleda kriminalističke serije o forenzičarima, sredovječni mužjak sa stalnim poslom, stalnom ženom i stalnim gastritisom. Za vrijeme rata bio je, doduše, u Njemačkoj, ali tamo ništa značajno nije radio, i nikog značajnijeg od supruge rezervnog centarfora FSV Zwickaua nije upoznao. Pa sve i da je jedan od ratnih zločinaca ili, još gore, novinara, nije baš izgledno da im tajna policija, kad ih pronađe, u stan šalje gole ljepotice.

A najsigurniji je bio u to da takve žene ne zapažaju i ne slijede po gradu muškarce poput njega, debeljuškaste trutove što su nekako neprimjetno odustali od života i odrađuju ga preko volje, onako kako se boja stan ili nedjeljom sa ženom odlazi u trgovački centar.

— Ne znam — kazao je na kraju telefonskog razgovora Sven. — Piješ li ti one lijekove što ti je ostavila Jelena?

— Idi u kurac — odgovorio je Pave.

* * *

Prekosutra je pojeo malo kruha i salame što mu je donio Sven. Zadovoljno je prdnuo i u sljedećem trenutku osjetio kako mu duša, barem ono što je od nje ostalo, traži po crijevima izlaz i spas. Otrčao je zgrčen u zahod i sjeo na školjku prvi put u tri dana. Golemo olakšanje nije mogao pokvariti ni strašan smrad koji je istog časa ispunio malu keramičku komoru, ni pogled na spuštene bokserice. »Jebo ti proljev mater, još mi je samo to nedostajalo«, opsovao je u sebi, kad je začuo Čajkovskog s ulaznih vrata.

— Trenutak! — povikao je.

To je Sven, opet je kreten zaboravio ponijeti listiće za klađenje, mislio je Pave navlačeći prljave gaće, dok je Čajkovski uporno zvonio i dalje.

— Trenutak, u zahodu sam, jebi mater! — podviknuo je jače.

Potegnuo je vodu, dogegao se do vrata, otključao ih i progutao onu užarenu helebardu u grlu.

Bila je još ljepša, još bujnija, još crnja, još izazovnija. Stajao je na vratima kao idiot, buljeći u njen dekolte, sve dok ga maznim glasom nije pitala može li ući.

* * *

U dnu hodnika ponovila je ritual. Okrenula se, zadigla ogrtač, namjestila čarapu, namignula mu i nestala u dizalu. Stajao je ošamućen na vratima još nekoliko trenutaka, a onda se vratio u stan i izašao na balkon. Uskoro je vidio Nepoznatu kako izlazi iz zgrade i ulazi u parkirani crni automobil, ovako odozgo izgledao je kao Audi »četvorka«. I da, ušla je na suvozačka vrata.

Odmah je uzeo telefon i zvao Svena. Bilo je zauzeto pa je spustio slušalicu. Čim je spustio, telefon je zazvonio. Bio je to upravo Sven.

— Upravo te zovem — rekao je Pave.

— Moram doći do tebe — rekao je Sven prije nego što mu je prijatelj uspio i spomenuti Nepoznatu.

— Šta je bilo, što se dogodilo?

* * *

— I šta, samo ga je zanimalo jesi li zdrav? — pitao je Pave.

— Aha. Zamisli — odgovorio je kratko Sven.

— I što si rekao?

— Šta ću reć? Zdrav, ako ne računamo zube.

— I pregledao te?

— Aha.

— Totalno suludo — vratio se Pave u trosjed. — Slušaj, nešto se tu događa. Ja ne znam da doktori idu po kućama provjeravati je li tko zdrav.

— Jebiga, fakat je izgledao kao doktor — rekao je Sven. — Znaš ono, kecelja ispod mantila, torba s instrumentima, onaj strepto... streptoskop, kako se zove?

— Streptokok?

— Ne, u kurac, ono za slušanje.

— Aha, stetoskop.

— E, to. Poslušao mi je pluća, pregledao grlo s onim štapićem i rekao — ništa. I otišao.

— A šta govori, zašto to uopće? Mislim...

— Ništa, govori da je to u sklopu akcije Ministarstva zdravstva, nešto kao Doktor u kući, što ja znam.

— Jebote pizdarije.

— Aha. Samo što to uopće nije bio doktor — zagonetno doda Sven.

— Ne seri. Kako znaš?

— Kad je otvorio torbu da izvadi taj streptokok, teleskop, koji kurac, vidio sam u jednom trenutku... pištolj.

— E sad sereš!

— Ne serem, majke mi. Pravi pištolj. Otkad to doktori nose pištolje?

Sjedili su neko vrijeme šutke. Pave je izvadio omotnicu s travom i Sven je započeo motati.

— A šta si ti mene zvao? — pitao je.

— Ah, to — neuspješno je Pave pokušao složiti zagonetni osmijeh. — Bila je opet.

— Tko? — nije Sven dizao pogled s hrpice na papiriću »rizle«.

— Ona ženska. Monica Bellucci.

— Sad ti sereš!

— Jok — odgovorio je Pave.

— I? — nestrpljivo je Sven čekao nastavak.

— I ništa. Digla me iz zahoda, jebote imao sam proljev, gaće sam cijele zasrao, smrdi stan u tri pizde materine, a ona ulazi u dekolteu do pupka i odmah s vrata skida kaput! Da mi je bilo umrijeti, umro bih istu sekundu!

— I šta ona, šta ona?

— Ništa, vidim ja da joj smrdi u pičku materinu, ali ona ništa, samo me pita jesam li ozdravio. A ja govorim — nisam.

— Koji si ti debil, majke mi moje ja ću te ubit! — iznervirao se Sven.

— E ali kurac, slušaj dalje — nastavi Pave. — Nisam to ni rekao, a ona mi već uvalila jezik!

— Idi u kurac! — objesio je Sven donju čeljust.

— Majke mi! — prisnaži Pave. — A ja se uzmuvao kao kreten, stao se izvinjavati, govorim joj da sjedne trenutak dok se istuširam.

— Dok se istuširaš?!

— A ne, mogao sam se skinuti u usrane gaće! Jebote kakav si ti kreten!

— Boli te kurac, kao da bi je ženio!

— Ženio bi je odmah, čovječe, kad vidiš kakva pička!

— Šta kad vidim?

Pave je najzad uspio složiti đavolski smiješak, podižući sa stolića video kasetu.

— Šta je to?

Pave ništa nije govorio. Dok je umetao kasetu u rekorder, đavolski smiješak mu je licem titrao nekontrolirano, kao tik.

— Šta, snimio si? — shvatio je Sven konačno. — Govno jedno, snimio si!

— Sve.

— Jebem ti mater, snimio si! — ponovio je Sven skočivši iz trosjeda.

— U zadnji čas sam se sjetio uključiti — rekao je Pave. — Da jednom nečemu posluži i ta tvoja kamera[3].

— Ja sam bog! — digao je Sven ruke u zrak poput centarfora FSV Zwickaua. — I šta je bilo, jesi li upao u seks?

— Čekaj, vidjet ćeš — odmakao se Pave od televizora i na daljinskom pritisnuo dugme za premotavanje. — Kaže ona meni da se ne trebam tuširati, da kakav tuš, šta ima veze. Zamisli, da se ne trebam tuširati!

— To je žena mog života — prekine ga Sven. — Puštaj, jebem ti mater!

— Slušaj sad najbolji dio — nastavio je Pave dok se kaseta premotavala. — Kad je otišla pogledao sam sa balkona, ušla je u crni Audi, ali s druge strane, razumiješ... netko je bio u autu, čekao je ispred zgrade.

— Jebote — zaustio je Sven tiho, iako ne posve jasno je li zbog Pavinog detektivskog otkrića ili zbog crno bijelog kadra u televizoru, u koji je točno u 15:09 iz hodnika u dnevnu sobu ušetala najljepša žena koju je ikad vidio, a za njom ušeprtljali Pave sa ženskim ogrtačem u ruci. — Fakat je ista Monica Bellucci. Samo ima veće sise.

---

3   Sven, monter video nadzora u Gradskoj sigurnosti, sigurnosnu je kameru u Pavin stan ugradio godinu dana ranije, kad su se administrativnom greškom u firmi našle dvije kamere viška. Drugu su, uz pomoć Svenovog rođaka u bolnici na Firulama, ugradili u ventilacijski otvor svlačionice za medicinske sestre. Nekoliko dana kasnije ženska garderoba na odjelu kirurgije preuređena je u hladnjaču za amputirane dijelove tijela, što je Pavi bio još jedan dokaz njegove kolosalne kurčeve sreće.

Sven je nijemo gledao kako ljepotica nešto govori Pavi, kako ovaj kašlje, a ona mu se iznenada vješa za vrat uvija dugačkim nogama oko struka. Gledao je kako ga baca na trosjed u donjem desnom kutu ekrana, sad je Pave bio zaklonjen naslonom, ali ne i Monica Bellucci, koja je zabacivala kosu i uvijala se oko njega. Gledao je kako vadi sisu iz grudnjaka i skače poput zvijeri na nemoćnu žrtvu — Pavi su se vidjele samo noge u bespomoćnom batrganju, i ruke kako pokušavaju dohvatiti smrtonosne sise. Nepoznata je potom krenula u posljednji napad, Pave se umirio kao da je na izdisaju, noga prebačena preko naslona tresla se baš kao nožica laboratorijskog miša u samrtnom hropcu, i onda se minutu-dvije nije vidjelo ništa.

— Jebo te — procijedio je Sven još tiše.

A neznanka u kutu ekrana konačno se digla, vratila lijevu sisu u grudnjak i ustala s kauča. Nešto je rekla, sagnula se još jednom da poljubi zbunjenog Pavu, dohvatila ogrtač s fotelje i nestala u hodniku. U kutu televizora pisalo je 15:14. Sven je i dalje sjedio poluotvorenih usta, sa smotuljkom trave u ruci.

— I to je sve? — konačno je progovorio.

— Sve — uzdahnuo je Pave.

— I ti si je pustio?!

— A šta sam trebao, silovati je? Iako mi nije puno nedostajalo. Izdrkao sam poslije tri puta za redom.

— Jebote — uzdahnuo je Sven treći put, pa konačno zapalio džoint. — Daj pusti ponovo!

* * *

I petog dana Pave je s balkona gledao parkiralište pred neboderom. Šibao je neugodan sjeveroistočni vjetar s kišicom što se zabadala u lice poput komaraca, upravo savršen za njegovu visoku temperaturu i upalu grla, a on je svako malo izlazio i gledao hoće li se pojaviti crni Audi s Monicom Bellucci. Negdje oko tri sata poslijepodne crna je limuzina doista uklizala na prljavi asfaltni plato i zaustavila se kraj kontejnera punih smeća. Iz nje je izašao nekakav poveći tip izbrijane glave, s mobitelom na uhu, pogledavši u jednom trenutku prema njegovu balkonu. Pave je brzo ustuknuo dva koraka nazad. Kad je ponovo oprezno nadvio pogled preko ograde, vidio je ćelavog kako ulazi u Audi. Sljedećih sat vremena automobil je stajao na mjestu, i Pave je osjećao kako mu ispod kućnog ogrtača tijelom gmižu žmarci straha. Onda je iz stana začuo resku zvonjavu.

Vratio se u stan i uplašeno gledao telefon. Zvonio je barem deset puta, pa stao. Kad je ponovo zazvonio, Pave je bojažljivo digao slušalicu.

— Gdje si, jebote — čuo je poznati glas. — Jesi li to umro?

— Idi, Svene, u kurac, mislio sam da je netko drugi.

— Slušaj, nešto se događa. Danas su me cijeli dan pratili.

— Tko te pratio, šta pričaš?

— Crni Audi, kao što si ti rekao. »Četvorka«. Prati me cijeli dan. Evo mi ga i sad preko puta ulice.

— Kako, kad je kod mene? Dolje na parkingu. Crni Audi, isti kao jučer. Vozač je izašao i gleda gore, prema mome balkonu.

— Sad?

— Sad, čovječe, još je dolje.

— Onda su dva. Više ih je. Pave, da zovem policiju?

— Nemoj, što ćeš im reći? Nije zabranjeno parkirati crne Audije.

— A Monica Bellucci?

— Što, da prijavim da mi je u stan došla gola crnka i gurala mi sise i jezik u usta?

— Jebiga, imaš kazetu.

— Ti si glup.

Neko vrijeme su šutjeli. Pave je čuo kako Sven s druge strane žice pali cigaretu.

— Da ti kažem još, kad sam došao doma — ispustio je Sven dugačak dim — zaustavio me čovjek pred ulazom i pitao me: šta je, susjed, je li i vas uhvatila ova epidemija? Govorim ja, kakva epidemija? A on: upala grla. Meni cijela familija u fibri, kako je kod vas. Kažem ja, meni ništa. Jeste li sigurni, pita on. Jesam. Ajde, čuvajte se, govori mi on na kraju. I otišao.

— Koji to, je li onaj Plazibat?

— Ma ne, ovaj uopće ne živi u našoj zgradi. Sto posto. Prvi put sam ga u životu vidio.

— Jebote.

Kad je Pave opet izašao na balkon, crne limuzine nije bilo kraj kontejnera. Čekao je deset minuta, ali nitko nije zazvonio. Zaspao je tek oko dva sata iza ponoći. Pojeo je pola sendviča s paštetom, prisilio se da popije antibiotik i dvije zelene tablete iz netaknute hrpice što mu je Jelena ostavila na stoliću, ugrijao je čak i malo njenog čaja, i uvečer konačno osjetio kako bol kod gutanja popušta. Iskašljao se u maramicu i legao na trosjed. Gledao je na televiziji neki dosadni britanski film, pa erotske spotove njemačkih neun-und-neunzig-neun-und-neunzig seksi-telefona, još jednom izdrkao na video s Monicom Bellucci, obrisao se papirnatom maramicom i najzad zaspao uz trke kamiona na Eurosportu.

* * *

Stvar je kulminirala šestog dana. Probudio se sa zadovoljstvom gutajući onu helebardu još manju nego sinoć.

Sjeo je i zapalio cigaretu. Prvi put nije bilo onog metalnog ukusa u grlu. Povukao je još jedan dim, pa još jedan, i tek tada se nakašljao. Odložio je cigaretu u pepeljaru, pljunuo u maramicu i bacio je na pod. Gledao je u bijeli, čupavi tepih i stisnuo oči. Nešto u tom prizoru nije bilo u redu, i pokušavao je otkriti grešku. Onda je skočio užasnut: pod je bio čist, nije na njemu bilo ni jednog papirića, nijedne od stotina papirnatih maramica koje je proteklih dana s trosjeda bacao pod stolić! Čak je i pepeljara bila prazna, ni šalice za čaj nije bilo, ni onog napola pojedenog sendviča od sinoć.

Otrčao je u hodnik. Vrata su bila otključana, iako je bio potpuno siguran da ih je zaključao kad je onaj crni Audi stigao pred zgradu. Provjerio je to nakon razgovora sa Svenom, toga se dobro sjeća. Otvorio je sef, iako je znao da u njemu sigurno neće ništa nedostajati: tko god da je noćas bio u njegovu stanu, nije ga zanimao Jelenin nakit, već jebene papirnate maramice pune njegove sline i sperme. Zujalo mu je u glavi, sjeo je u naslonjač i dohvatio telefon.

* * *

— I ništa drugo ne nedostaje? — pitao je policajac. — Neprijavljeno oružje, novac i takve stvari... droga?

— Ništa — odgovorio je Pave.

Marihuanu iz sefa bacio je u zahod u posljednji trenutak. Sjetio se trave tek kad je policija zazvonila na vrata.

— Na vratima nema znakova provale, a vama iz stana nedostaju, da vidim, upotrijebljene papirnate maramice, dvadesetak ugašenih cigareta iz pepeljare, šalica čaja i pola sendviča s paštetom — nastavio je policajac umornim glasom, a onda sklopio notes i pogledao ga u oči s nečim između podsmijeha, sažaljenja i zatomljenog bijesa. — Nekako imam osjećaj da među otiscima prstiju neće biti nijednog osim vašeg i vaše žene.

Pave je pogledao čovjeka u bijelom što je malim kistom prašio zasun na ulaznim vratima, a onda policajca koji ga je gledao ravno u oči. Kristalno jasno u njegovim je zjenicama mogao vidjeti kako glupo izgleda u ovom trenutku.

— A ako nađem otiske te misteriozne žene što vam je... hm... dolazila u stan... — nasmijao se policajac hijenski pokvareno — svakako ću vam javiti.

Pave obori pogled. Tek sada se sjetio da je Nepoznata oba puta na rukama imala one starinske, bijele rukavice što su sezale iznad lakta.

— Vidim da mi baš i ne vjerujete — rekao je Pave, ustao i iz ormarića ispod televizora izvadio kasetu. — Evo, tu je sve snimljeno.

— Šta je to? — iznenadila se hijena sa značkom MUP-a.

— Sve je tu, snimljeno — uživao je Pave u inspektorovom tupom pogledu.

Policajac je vrtio u rukama crnu, neoznačenu kasetu.

— Snimate inače ili...?

Njegova je morala biti posljednja, pomislio je Pave jedva susprežući bijes.

— Imam malu kameru tu gore, na polici. Kad idem na put ili na godišnji odmor — procijedio je. — Rekoh vam da radim u Gradskoj sigurnosti.

* * *

Sven je oko dva sata otišao na posao, konačno se javila i Jelena — dolazi prekosutra, nije joj ništa rekao, dakako — i Pave se vratio na trosjed. Bio je savršeno svjestan koliko je njegova priča o sisatoj crnki koja mu gola provaljuje u stan i krade slinave maramice glupa, gluplja čak i od one njegove legendarne bajke o Snjeguljici i sedam patuljaka, kad je prvoj ženi Ulrike lagao zašto je sedam puta bio kod žene onog centarfora što je naručio vrtne patuljke. Znao je da priča o Snjeguljici u crnim halterima jednako glupo zvuči i policijskim inspektorima i zakonitim ženama, da se već uz smijeh prepričava u Trećoj policijskoj stanici, i da jedino on, prvak Gradske sigurnosti u pogađanju raspleta trilera i kriminalističkih filmova, može povezati njene dijelove[4]. Negdje do pet poslijepodne konačno je složio cijelu priču.

Prvo, ovo što on ima sasvim sigurno nije obična upala grla. To je jasno. Onaj tajanstveni doktor kod Svena je očito provjeravao je li se možda i on zarazio, obzirom da je Sven, uz Jelenu, bio jedina osoba s kojom je Pave kontaktirao otkako se razbolio. Misteriozna crnka, nije bilo nikakve sumnje, u vezi je s tim »doktorom«. Dokaz je, ako je dokaz uopće potreban, crni Audi iz kojega je izašla, isti kao onaj koji se vrzmao oko Svenove zgrade. Da je stvar ozbiljna, svjedoče pištolj u doktorovoj torbi i više nego ozbiljan izgled i pogled onog izbrijanog tipa s mobitelom.

Najzad, ključni je dokaz bila sinoćnja profesionalno izvedena provala u njegov stan iz kojega su odnesene papirnate maramice. Odnijeli su ih sve, do posljednje, a teško da su ih zanimale one sa spermom – uz maramice, naime, ukradeni su i svi predmeti na kojima je mogao ostaviti svoje streptokoke, ili koji je to već strašan i smrtonosan virus zbog kojeg ga prate Vladini ljudi u crnom.

---

4   U Ukrajini je, navodno, riješio slučaj ubojstva na gradilištu u Dnjepropetrovsku, kad je – sjetivši se filma »Dvanaest gnjevnih ljudi« – sugerirao policijskom istražitelju da se nož skakavac, omiljeni alat balkanskih građevinara, uvijek drži s oštricom prema gore. Pave se, uz to, uvijek hvalio kao prvi čovjek u Splitu koji je složio Rubbikovu kocku.

Vladini, jasno, tko drugi? Zašto, naime, ako je stvar tako ozbiljna, doktori jednostavno nisu došli po njega i smjestili ga u bolnicu? Ukoliko pak to nisu bili obični doktori iz Zavoda za epidemiologiju – a obični doktori ne nose pištolje i ne voze crne Audije – tko su onda ti ljudi, ako ne neka tajna Vladina jedinica koja nulte nosioce smrtonosnih virusa kidnapira i izolira u najvećoj tajnosti, kako bi se izbjegla opća panika? Vidio je Pave to već stotinu puta u američkim filmovima.

Dvije se stvari, međutim, nisu uklapale u priču. Najprije, on nije ni otet ni izoliran. Kao da je nekoga zanimalo samo izolirati virus, a ne spriječiti epidemiju. A možda to naprosto nije zarazna bolest? Glupost, zašto bi onda provjeravali Svena? Svaka bolest uzrokovana virusom je zarazna. No, još ga je više zbunjivala Nepoznata, koja je potpuno ispadala iz njegove teorije. Monica Bellucci ljubila ga je strastveno i divlje, baš kao da se namjerno želi zaraziti, gurajući mu u ždrijelo jezik poput sonde za skupljanje virusa. Možda je ona imuna, cijepljena, možda... možda postoji objašnjenje.

Najgore od svega bilo je to što se nije imao kome obratiti. Nakon njegove priče, inspektorov podsmješljiv pogled bilo je još najmanje što je zauzvrat mogao očekivati.

Istina, danas se barem osjećao mnogo bolje, ali to je popuštala samo ona jebena, obična upala grla. Kod gutanja gotovo da više nije osjećao nikakvu bol, visoka temperatura je nestala, i još je povremeno osjećao samo male mučnine. Kakvu to bolest nosi u sebi? Neki mutirani virus AIDS-a, ili ptičju gripu, do jučer su novine bile pune ptičje gripe, a njemu je balkon pun jebenih grlica, golubova, koji li su to već pernati štakori. Ili trihinelozu, sjetio se bakinih kobasica od divljih svinja, jebale ih divlje svinje, da se divlje svinje jedu valjda bi postojale i divlje krave, pa se sjetio krava, ludih krava i kravljeg ludila, sam

Bog zna kakve se ljigave mikroskopske beštijice sad u njemu gnijezde? Možda je upala grla samo uobičajena, benigna popratna pojava te jezive bolesti?

Grozničavo je razmišljao o danu kad je dobio upalu grla. Zna točno gdje ju je i kada pokupio. U onom jebenom, zagušljivom, smrdljivom vlaku iz Zagreba, u kupeu u kojega je ušao nakon što su njegov zauzeli neki polupijani regruti, i koji je dijelio s dvije časne sestre, sjedio je još jedan debeli profesor, kako se ono zvao... Ćubelić, tako je, profesor Ćubelić, sa splitskog Pravnog fakulteta. Kašljao je poput dizelskog motora, debeli prasac, i stalno na ustima držao golemu žutu maramicu, sedam sati je kašljao u tu odvratnu maramicu, i svaki put je stavljao u džep ispričavajući se njemu i časnim sestrama. »Upala grla«, rekao im je brišući istom maramicom svoja praseća usta i znojno čelo, »dobio sam je na poslovnom putovanju u Austriji«.

Tako je, profesor Ćubelić! – pomislio je Pave i dohvati telefon. Dok je čekao da mu se javi netko s referade Pravnog fakulteta, iznenada se sjetio detalja sa splitskog željezničkog kolodvora i istog trenutka pretrnuo.

* * *

— U istom crnom Audiju? — pitao je Sven. — Jesi li siguran?

— Sto posto — odgovorio je Pave. — Crni Audi. Znam kako izgleda Audi »četvorka« i znam koja je boja crna.

— I što ti je profesor tada rekao?

— Ništa, pitao me treba li me s kolodvora odvesti kući, da je tu vozač s autom i da me bez problema može prebaciti. Rekao sam mu da ne treba, samo mi je poslije sedam sati trebalo još deset minuta s tim prascem. Onda je ušao u crni Audi i otišao.

— I šta, to je bilo tog jutra?

— Aha.

— Jebote, mogao si i ti izginuti! — jedva čujno promucao je Sven. — A šta kažu na fakultetu, kako je poginuo?

— Ništa, evo, sve ti tu piše — pripalio je Pave cigaretu poprilično blijed i dodao prijatelju novine. — To je Slobodna od prošlog utorka. Tada uopće nisam povezao da je to tip iz vlaka. Pročitaj kako je poginuo, bogati.

Sven je naslov pročitao na glas: »Splitski profesor mrtav pod tonama betona«. Ispod je bila fotografija stražnjeg dijela smrskanog crnog Audija »četvorke«, koji je virio iz omanjeg betonskog brijega.

— Krvi ti Isusove — mucao je i dalje Sven, pa nastavio čitati. — »Ugledni splitski profesor Henrik Ćubelić izgubio je život u bizarnoj prometnoj nesreći koja se dogodila u ponedjeljak rano ujutro na staroj kliškoj cesti, kada se Audi splitskih registarskih oznaka, kojim je upravljao nepoznati muškarac, zabio pod miješalicu za beton splitskog Konstruktora. Od siline udarca iz miješalice je na smrskani automobil iscurilo nekoliko tona svježeg betona, pod kojim su profesor Ćubelić i vozač ostali na mjestu mrtvi, dok je vozač miješalice prošao bez ozljeda...« U pičku materinu!

— Čitaj dalje. Sad je najluđe.

— »Zanimljivo je da su, prema iskazima očevidaca, zajedno sa splitskim profesorom i vozačem u vozilu su bile i dvije ženske osobe, navodno časne sestre, koje su se neozlijeđene izvukle kroz stražnje vjetrobransko staklo uništenog Audija. Istražni sudac, međutim, nije ih zatekao tamo, jer su, prema tvrdnjama mještana, vrlo brzo napustile mjesto nesreće, odjurivši u jednakom crnom Audiju bez registarskih oznaka prema Sinju.« Jebote, to su one dvije časne iz vlaka!

— Čitaj. Ima još.

— »Na sličan način s mjesta ove rijetko bizarne tragedije pobjegao je, međutim, i neozlijeđeni vozač kamiona miješalice, koji je nestao u gužvi nakon nesreće. Policija stoga poziva sve očevice da se jave Policijskoj upravi u Splitu. Sudac Istražnog suda iz Splita, koji je izašao na očevid, do okončanja istražnog postupka nije želio reći ništa o nestancima sudionika, kao i uzrocima nesreće. Neslužbeno, međutim, saznajemo da je miješalica na ravnom dijelu ceste iz nepoznatih razloga naglo zakočila, uslijed čega se Audi velikom brzinom zabio pod njene kotače. Mještanima koji su priskočili u pomoć vozač je prije bijega rekao da je na cesti vidio lisicu, što su potvrdila i dvojica očevidaca.«

— Shvaćaš, lisica?! Lisica na Klisu? Tebi to nije sumnjivo? Nestali i vozač i obje časne! Jebote, to je sumnjivije od nogometnog prvenstva.

— Misliš...?

— Mislim da je profesor likvidiran, eto što mislim. I mislim da sve to ima neke veze sa mnom.

— Jesi li zvao policiju?

— Koga, onog inspektora šta mi se ionako smije? Da me odmah smjesti na psihijatriju!

— Ako nije i on s njima.

* * *

Jelena ga je slušala kiselkasto se smiješeći, ne zbog toga što je priča bila nevjerojatna — na koncu, nije bila toliko nevjerojatna koliko idiotska — nego zato što nije mogla dokučiti zašto je Pavi tako stalo da povjeruje u nju. Drugu cigaretu palila je s već upadljivim nemirom, jer Pave je i dalje bio mrtav ozbiljan, baš ničim ne pokazujući da je zajebava.

— Tebi je valjda jasno da je ta tvoja priča potpuno besmislena? — rekla je bacajući Slobodnu Dalmaciju na stol i paleći treću cigaretu.

— Jebo te, Jelena, evo ti i danas u novinama, pozivaju očevice, zovu i dvije časne sestre da se jave. A vidi tek ovo — uzeo je Pave Slobodnu Dalmaciju sa stola i stao na glas čitati — »Nedavna zagonetna prometna nesreća na Klisu bogatija je za nove tajanstvene detalje. Kako saznajemo u Policijskoj upravi Županije splitsko-dalmatinske, iz Konstruktora je potvrđeno da kamion koji je prouzročio nesreću jest iz njihova voznog parka, ali da toga dana uopće nije trebao voziti preko Klisa, te da ga sasvim sigurno nije vozio djelatnik te splitske tvrtke. Iz splitske pak nadbiskupije tvrde da...«

— Pave — umorno ga je prekinula Jelena. — Što si zasrao?

— Što sam zasrao?! — zbunio se Pave.

— Zašto bi mi inače to ispričao? Negdje je kvaka, nešto kriješ, Pave. Nikad nisi pričao takve pizdarije. Reci, što je bilo?

Pave proguta knedlu veličine one helebarde od prije neki dan. Naravno da joj nije spominjao Nepoznatu, to je jedini detalj zagonetne priče koji joj nije rekao. Naravno da je Jelena osjetila da nešto u priči nedostaje, ženska je intuicija kao životinjsko šesto čulo, i epizoda s Nepoznatom služila je, sad je shvatio, samo da je prešuti i da žena posumnja, kao da stvar nije dovoljno nevjerojatna i bez toga, i kao da mu nije već dovoljno sjebala teoriju o tajnom Vladinim uredom za ptičju gripu i izvanredne situacije. Naravno da je sada zbog toga glupo gledao Jelenu, jer bilo je kasno da se sada sjeti tog detalja. Tek tada bilo bi do kraja jasno zašto bi Pave izmislio tako sumanutu priču kao što je ova o smrtonosnom virusu.

I naravno da je tada Čajkovskog sa ulaznih vrata zasvirao onaj policajac od prekjučer. Naravno da je Pavi sa srca pao veliki kamen, jer će mu Jelena konačno povjerovati, ali već u sljedećem trenutku kamen ga je bolno tresnuo po nozi. Sve do kraja tog dana bilo je tako naravno: i to da je kreten s onim svojim nadmoćnim, ironičnim smiješkom ispred Jelene slavodobitno potvrdio da na vratima njegova stana osim njenih, Svenovih i Pavinih nema drugih otisaka prstiju, naročito ne zagonetne gole žene u kišnom ogrtaču, i to da je na kraju iz džepa izvadio onu kasetu i vratio je Pavi, i to da je supruga šokirana pitala o čemu to policajac priča i kakva je to kaseta, i to da joj je pokušao objasniti kako je taj detalj preskočio baš zato što mu ne bi vjerovala, i to da je Jelena odmah kasetu stavila u rekorder.

Naravno da je Pave onda povukao najgluplji mogući potez, potez očajnog muškarca uhvaćenog u prozirnoj laži, i nazvao najboljeg prijatelja da ženi potvrdi njegovu budalastu priču. Muškarcima najbolji prijatelji i ne služe ni za što drugo osim za gledanje utakmica, popravljanje automobila i alibije pred ženama i istražnim sucima.

Uplakana Jelena bijesno je na kraju bacila daljinski upravljač, promašila Pavu i – posve naravno – pogodila inspektora u glavu, te istu večer pokupila još neraspakirane torbe i otišla majci u Žrnovnicu.

* * *

Prva stvar koju je ujutro napravio, nakon što je deset minuta molio punicu da mu na telefon da Jelenu, bio je odlazak doktoru Galičeku. Nije, međutim, bilo nikakve sumnje: ako se izuzme petnaestak kilograma viška i stari, dobri gastritis, Pave je bio zdrav poput dječaka. Upala je nestala, grlo mu je bilo kao u mladog Pavarottija, i nije bilo traga nikakvoj bolesti. Kad je pitao doktora je li potpuno siguran, i je li moguće da ima nekakav opaki virus koji bi se prenosio kašljem ili pljuvačkom, recimo ptičju

gripu, kravlje ludilo ili tako nešto, Galiček se glasno nas-
mijao. Pave je gledao doktora kako se smije: bio mu je
sumnjiv. Onda se sjetio da mu je Nepoznata rekla kako
ga je zapazila baš ovdje, u Galičekovoj ordinaciji. Je li ga
baš zapazila ili joj je dr. Galiček dao adresu?

— Samo još nešto, doktore — rekao je Pave na kraju
— recite, je li se tko kod vas raspitivao za mene, neka
žena, crna, onako... zgodna?

— Kad?

— Mislim, inače. Zapravo, onaj dan kad sam bio kod vas.

— Ne, što bi se kod mene raspitivala? — rekao je
doktor zbunjeno, ali Pave je sad bio siguran da glumi i da
je i on dio zavjere.

Istog dana obišao je stoga još dva liječnika, bio je i u
bolnici, kod Svenovog rođaka na Zaraznom, ali svi su mu
rekli isto što i dr. Galiček: bio je sasvim zdrav, samo bi
trebao pripaziti na kilograme i cigarete. U cvjećarnici kraj
bolnice, tamo gdje se kupuju sparušene ruže za trudnice
i posrnuli gerberi za gerontologiju, kupio je najveći buket
žutih ljiljana i odvezao se u Žrnovnicu.

* * *

Cijeli tjedan Pave se budio izranjajući iz znojnih košmara,
gledao se u ogledalu i kroz rolete virio na parkiralište, ali
ničega više nije bilo. Niti je na tijelu mogao primijetiti
ikakvu promjenu, niti je više na parkiralištu ispred nebodera
vidio onaj crni Audi. U videoteci je uzeo šest filmova o mis-
terioznim virusima i katastrofalnim epidemijama, naoružao
se debelim zdravstvenim priručnicima, pročitao sve što je na
internetu mogao naći o kravljem ludilu, ptičjoj gripi, svinj-
skoj kugi, mišjoj groznici i ostalim ljudskim bolestima, bio
je dva puta na temeljitim pretragama, testirao se na AIDS i
svake večeri s cvijećem odlazio u Žrnovnicu.

Sedmog dana prvi put mu je u jednom djeliću sekunde kroz glavu prostrujala pomisao da je ono što se dogodilo – što god da je to bilo! – ipak gotovo, okončano na isti nedokučiv način na koji je i počelo. Ako se uopće išta dogodilo, pomislio je tog jutra u bolničkoj čekaonici.

Zagonetni crni Audi, recimo: nije li crnih Audija, kao i upale grla, zapravo pun grad? Jučer je, vraćajući one filmove o smrtonosnim epidemijama, saznao da ona mala, kratko ošišana cura iz videoteke ne radi jer je bolesna, neka viroza, naravno, ništa strašno. Saznao je i da isti crni Audi »četvorku« kakav je viđao pod balkonom vozi vlasnik videoteke, te da ga i on parkira pred njihovom zgradom. Sumnjivije bi bilo, sad kad razmisli, da je oko sebe viđao žute »stojadine« nego crne Audije, kojih u Splitu ima valjda više nego u Münchenu. I postoji li uopće Audi druge boje osim crne, Audi je crn kao crveni Ferrari, razmišljao je smijući se vlastitoj paranoji.

Onda ona lisica: kad sve zbroji i oduzme, zašto na Klisu ne bi bilo lisica, pa nije lisica leopard da bi to bilo nemoguće? Vozač miješalice je pobjegao, normalno da je pobjegao, to je najnormalnija ljudska reakcija, ukrao je čovjek kamion iz Konstruktora da na selu nalije terasu, ili gustirnu, napravio sranje i zbrisao. A časne sestre... jebi ga, tko zna što su radile u automobilu s dva muškarca, možda čak i ništa, zapravo najvjerojatnije ništa, čovjek ih je povezao, ali posve je prirodno da će i one pobjeći, da izbjegnu nezgodna pitanja? Bilo je uostalom i bizarnijih nesreća, tko je naposljetku njemu vjerovao onomad u Tripoliju[5]?

---

5   Danas je to smiješno, ali tada baš i nije bilo. S talijanskom inženjerkom Domaldom pohvatao se u njenom Landroveru, uz cestu na nekoj pustoj uzvisini. Lijepa se Talijanka upravo započela igrati s njegovim alatom, kad je nogom dohvatila i otpustila ručnu kočnicu. Veliki se terenac sjurio niz padinu i zabio u nekakav tor pun ovaca, koje su histeričnim blejanjem probudile vlasnika. Domalda je, naravno, pobjegla, i stvar je razjašnjena tek sutradan, u bolnici Salahudien u Tripoliju. I da mu je netko tada ponudio, radije bi Pave bježao iz automobila zalivenog betonom, nego od velikog Libijca s drvenom palicom, gologuz među njegovim ovcama.

Pa i onaj iznenadni doktorov kućni posjet kod Svena, nisu li i kod njega lani bili u onoj akciji besplatnog mjerenja tlaka? Najzad, ni Sven više nije mogao sa sigurnošću reći je li ono u torbi tajanstvenog doktora bio pištolj ili možda upravo takav neki tlakomjer, možda i injekcija, defibrilator, što li već doktori nose u svojim torbama.

Još jučer, eto, zbog toga su mu bili sumnjivi i vlasnik videoteke i Sven, a danas više ni Pave nije bio siguran je li ga kolega samo zajebavao zbog novog mobitela kojim se hvalio, je li one večeri možda sam bacio smeće s papirnatim maramicama i ostavio otključana vrata, moguće i da ih je otključao misleći da ih zaključava, i da je ipak sve umislio kako bi sam sebi objasnio zbunjujuće posjete zagonetne Monice Belucci.

Ženski je um, kako bi rekao Sven, uz oceanske dubine posljednji neistraženi kutak kugle zemaljske, i tko zna, možda je Nepoznata zaista u njemu vidjela nešto, možda u njegovim, kako ono, »staklenim, neonskim očima« stvarno ima nečeg što drugima nije dano vidjeti, nešto neuhvatljivo i nevidljivo prostom oku poput, poput... jebi ga, poput obične, sićušne streptokokne bakterije?

Istina, unatoč svom prosječnom izgledu znao je sa ženama, ali Nepoznata je bila prva žena u njegovu životu za čiji poljubac nije bila potrebna ni jedna jedina laž[6].

---

[6] Nije baš da je bio patološki lažljivac, naprotiv, Pave je to radio rijetko, ali kad je lagao, njegove su laži bile epskih razmjera. Najčešće, međutim, i potpuno nepotrebne. Kao ona priča o Snjeguljici, recimo. Kad su njemački tabloidi objavili priču o Pavinom dobitku i ženi lokalnog centarfora, Ulrike se smijala novinarskoj gluposti, znajući da je Pave s njenim ocem bio u nogometaševoj vili dostaviti naručeno vrtnog patuljka koji piški. Iako ništa nije sumnjala niti pitala, Pave je – valjda da preduhitri moguća potpitanja – iz čista mira počeo pričati kako je kasnije morao sam ići još sedam puta, jer je hirovita nogometaševa žena, kojoj je pokojna baka bila inspiracija za Disneyev crtani film o Snjeguljici, zaželjela u vrtu Snjeguljicu i sedam patuljaka. Laž je, dakako, otkrivena kad je u obiteljsku tvrtku stigao ček za jednog patuljka, i kad je Ulrike nazvala pitati nesretnog nogometaša što je s novcem za preostale patuljke. Slično je bilo i onomad u Libiji, kad se usred stada ovaca zatekao spuštenih hlača: umjesto da ispriča što se dogodilo, Pave je – misleći valjda da bi to zvučalo odveć neuvjerljivo – bijesnom vlasniku krenuo objašnjavati da se automobilom spustio s ceste da se popiša, jer ima problema s prostatom, pa nije htio na cesti ostavljati krvave tragove. Laž mu se i doslovno razbila o glavu, jer je sljedeća tri dana u bolnici u Tripoliju zaista pišao krv.

* * *

Život je odjednom opet bio jednostavan i lijep kao u rekla-
mama za pivo, čak je u jednom času pomislio kako ni ova
stvar s Jelenom nije ispala tako loše. Ni sam, eto, nije znao
ide li svaki dan k njoj u Žrnovnicu zato što mu je stalo, ili
samo zbog neobjašnjivog osjećaja stida, glupog ponosa,
zbog kojega su muškarci spremni zauvijek ostaviti voljenu
ženu jednako kao i ostatak života provesti s nevoljenom
strankinjom. Na isti način, mislio je, ne bi sad znao odgo-
voriti je li to što Jelene nema kod kuće podnosi sve lakše
zato što prema njoj ne osjeća više ništa, ili zato što ga
nikad nije napustila nada da bi se opet na vratima mogla
pojaviti fantomska Monica Bellucci.

Lebdio je nad ulaštenim podom bolničkog hodnika is-
pražnjen od svih strahova, tjeskoba i sumnji. Ne, neće se
više javljati Jeleni, neće danas ni ići u Žrnovnicu, već
Svenu, putem će ispuniti listić za klađenje, zapalit će zajed-
no jedan kraljevski džoint, piti pivo i gledati Ligu prvaka.
Smije li se tražiti više, može li život uopće biti ljepši?

Vjerojatno ne može, pa nije čudo što je za Pavin život
to ipak bilo previše. U sljedećem trenutku opet je pod
nogama prepoznao onaj isti osjećaj, onaj kad se zemalj-
ska kugla odjednom prestane vrtjeti. Stajao je u bolnič-
kom hodniku nepomičan poput plastične lutke iz dokto-
rove ordinacije, kao da mu je strašni, mutirani virus umrtvio
sve stanice u tijelu.

* * *

— Ej! — viknuo je konačno.

Silueta u dnu hodnika se okrenula. Sad je jasno mogao
vidjeti: bila je to Nepoznata. Primijetila ga je i nestala iza

ugla. Kad je i on stigao do kraja hodnika, crnokosa je već zamakla kroz izlazna vrata.

— Ej! Čekaj! — vikao je.

Izjurio je u bolničko dvorište i osvrnuo se lijevo i desno. Nepoznate nigdje nije bilo. Napravio je nekoliko koraka i pogledao iza ugla zgrade. Osvrnuo se onda još jednom iza sebe i na parkiralištu ugledao Nepoznatu kako ulazi u crni automobil. Potrčao je prema njoj i stigao u trenutku kad je limuzina izašla iz parkirališta i krenula prema rampi.

— Stani! — podigao je ruke i stao pred automobil.

Bio je to, naravno, crni Audi »četvorka«. Kroz vjetrobransko staklo vidio je Nepoznatu. Do nje, za upravljačem, sjedio je krupni muškarac izbrijane glave.

— Gospodine — provirila je Nepoznata kroz prozor i hrapavo zakašljala. — Hoćete li se, molim vas, maknuti od auta?

Bila je to ona, nije bilo nikakve sumnje. Osim ako Monica Bellucci osobno nije došla povećati grudi u splitsku bolnicu.

— To sam ja, Pave. Bila si kod mene doma. Na Brdima.

— Ne znam o čemu govorite — rekla je hladno.

— Gospodine, izvolite osloboditi put — prijeteći je s druge strane dodao izbrijani gorila.

Sporo spuštajući ruke, Pave je polako iskoračio u stranu. Automobil je krenuo. Prozor se uz tiho zujanje zatvarao. Gledao je Nepoznatu i grozničavo razmišljao. Ona je gledala naprijed.

— Sve znam! — podviknuo je najzad. — Znam za virus!

Crni Audi je usporio.

— Znam za virus koji tražite — dodao je jedva malo tiše.

Automobil je stao. Vidio je kroz stražnje staklo kako se Nepoznata nagnula vozaču i nešto mu rekla. Tip je klimnuo glavom i okrenuo se prema njemu, a Nepoznata je otvorila vrata limuzine i iskoračila van. Prepoznao je iste one mrežaste čarape na prekrasnim, dugim nogama. Stala je pred njega s maramicom na ustima.

— O čemu govoriš? — rekla je.

— Znam za virus kojim sam zaražen. Zato si bila kod mene, zar ne?

— Sve znaš?

— Znam — blefirao je neuvjerljivo — ali ne razumijem. Nadao sam se da ćeš mi ti objasniti.

Nepoznata ga je gledala krupnim crnim očima. Bio je već siguran da je raskrinkala njegov blef, kad je stavila crne naočale za sunce i laganim ga klimanjem glave pozvala da je slijedi. Okrenula se na visokim petama. Ovog puta nije koketno zadigla ogrtač.

— Uđi u auto — rekla je.

* * *

— Ne budi smiješan — rekla je s prednjeg sjedišta. — Previše gledaš filmove. Da smo ti htjeli nauditi, mogli smo to odavno. Osim toga, ne zaboravi da si ti mene lovio po bolnici, a ne ja tebe. Vjeruj, to je zbog tvoje sigurnosti.

Pave je još nekoliko trenutaka nepovjerljivo gledao Nepoznatu u retrovizoru, pa sive betonske kocke splitskih predgrađa u prozorskom staklu. Bili su na izlazu iz grada, kraj Solina. Nevoljko je krenuo vezivati preko očiju maramu što mu je dala Monica Bellucci, pa stao.

— A ako neću?

— Nema nikakvih problema. Izađi iz auta i doviđenja.

Pave se glupavo nasmijao i nastavio vezivati maramu.

— Ne znam čemu te filmske fore kad i vi i ja znamo kamo idemo — rekao je.

— A ti znaš? — rekla je Nepoznata.

— Slutim da idemo preko Klisa — rekao je Pave i istog trenutka sam sebi opsovao majku nepromišljenu.

Morao je to reći, baš onako kako bi, gledajući s Jelenom televizijski kviz, svaki put morao na glas reći odgovor, iako je oboma bilo jasno da se samo kurči[7].

— Kako znaš? — strgnula mu je Nepoznata povez.

— Znam sve — neuvjerljivo otresito rekao je Pave ustuknuvši na zadnjem sjedištu.

Onda se okrenuo izbrijani, uzeo Nepoznatoj povez iz ruku, gurnuo ga Pavi pred nos i kratko odbrusio: – Veži i ne seri.

* * *

Prošlo je dvadeset minuta, možda pola sata. Zadnjih pet minuta vozili su se nekakvom kaldrmom, potom su gume hrapavo zaškripale u šljunku. Čekali su tu još pet minuta, čuo je kako Nepoznata izlazi i s nekim priča mobitelom, a onda ga je snažna ruka dohvatila za nadlakticu i izvukla iz automobila. Popeli su se uz nekoliko stepenica, prošli kroz nekoliko vrata i na kraju sišli barem dva kata ispod zemlje. Naposljetku su ga posjeli u iznenađujuće udobni naslonjač.

— Možete skinuti povoj — čuo je muški glas.

---

7   Bila je to jedna od Pavinih glupljih osobina. Nije spadao u odveć hvalisave osobe, ali rijetko je odolijevao pokazati svoj šahovski, detektivski talent i opću kulturu, zbog čega su ga kolege u Gradskoj sigurnosti prilično originalno prozvali Einstein. I na najlakša pitanja u televizijskim kvizovima odgovarao bi poluglasno, kao za sebe, ali krajičkom oka gledajući Jelenu, iako je mnogo vremena prošlo otkako je u njenim očima posljednji put vidio divljenje; sve češće je prepoznavao prezir, a tjedan dana prije ovog zagonetnog niza događaja rekla mu je kako bi voljela da se prijavi u kviz, uvjerena da će se tim svojim kurčenjem jednom grdno osramotiti. Praviš se važan, rekla bi, i on se sjetio toga. Htio je i sada Nepoznatoj u automobilu reći: ja se samo pravim važan, a zapravo sam nevažan poput bakterije u papirnatoj maramici.

Pave je polako skinuo bijeli zavoj s očiju i osvrnuo se oko sebe. Bio je to nekakav podrum grubih betonskih zidova, ali suh i topao, s modernim namještajem, velikim televizorom i nekoliko fotelja. U njima su sjedili Nepoznata, Izbrijani i još dva starija čovjeka. Za golemim radnim stolom s kompjuterom sjedilo je poznato lice. Doduše, u toj crnoj odori Pavi je svako lice bilo isto.

— To ste vi, časna.

— Hvaljen Isus, Pave — rekla je časna sestra.

Bila je to, jasno, jedna od one dvije časne iz vlaka, ona starija.

— Lijepo je da me se sjećate — dodala je.

— Vi znate moje ime — neobjašnjivo se opet ohrabrio i okrenuo prema Nepoznatoj. — Mogu li ja sad konačno saznati vaša?

— Naravno da ne možeš — odbrusio je Izbrijani.

Pavu je u času napustila odvažnost.

— Onda, kažeš da sve znaš — prešla je Časna na »ti«, baš kao u vlaku.

Pave je šutio.

— Reci onda. Što znaš o Poglavnikovoj bakteriji?

— Poglavnikovoj bakteriji?!

Časna i Nepoznata su se pogledale. Čovjek u naslonjaču glasno se nakašljao.

— Da. Koliko znaš o bakteriji?

— Rekli ste »Poglavnikova bakterija«.

— Tko je spominjao Poglavnikovu bakteriju?

— Vi ste upravo rekli... kakva je to bakterija?

Opet su se pogledali. Iz naslonjača je ustao suhi starac oštrog nosa i izbuljenih očiju s golemom bradavicom na lijevom kapku, iskašljao se hrapavo u bijelu maramicu i krenuo prema njemu.

— Najprije vi — rekao je kratko.

— Ne dok mi ne kažete o kakvoj se to Poglavnikovoj bakteriji radi.

— Kakav Poglavnik, ne budite smiješni — usiljeno se nasmijao starac. — Krivo ste čuli časnu, rekla je »patogena bakterija«. Tako se zove ta vrsta bakterije, piogena bakterija. Bezopasna piogena bakterija. Sad vi.

— Maloprije ste rekli »patogena«.

— Molim?

— Sad, maloprije — uhvatio je Pave sjenu nesigurnosti u starčevim očima. — Rekli ste da nije »Poglavnikova«, nego »patogena«, a onda ste rekli »biogena«.

— Piogena — ispravio ga je Stari s nadmoćnom dosadom na smežuranom licu. — Patogena, piogena, svejedno. Piogena je ona bakterija koja izaziva, recimo, gnojne upale, patogena općenito izaziva bolesti.

— Kakve bolesti?

— Gubimo vrijeme, mladiću — iznervirao se starac. — Idemo redom. Recite, što točno znate?

— Iskreno, ne znam ništa — zadrhtao je Pave već prilično obamro od straha, okrenuvši se opet prema Nepoznatoj. — Samo sam zapravo tražio... nju.

— Ha — nasmijao se Stari. — Iskreno, ne bi me to čudilo.

— Umro je od straha — tiho je rekla Časna, pa se opet okrenula prema Pavi. — Ne boj se, neće ti se ništa dogoditi. Nije ovo film. Nismo mi mafija.

— Onda? — opet mu se obratio Stari.

— Nisam glup — započeo je Pave. — Znam da imam neki zajebani virus. Znam da ste mi pregledali prijatelja, znam da ste nas pratili, znam da ste mi vi iz stana odnijeli papirnate maramice i to... Recite mi kakav je to pato... patološki virus?

— Nije virus nego bakterija — kratko je odgovorio Stari.

— Bakterija, virus, isti kurac. O čemu se radi?

— Polako, rekli smo: najprije vi — rekao je Stari. — To je, dakle, sve što znate?

— Sve.

— A Klis? — konačno se javila Nepoznata. — Odakle ti ono za Klis?

— Povezao sam, zbrojio dva i dva — tiho je govorio Pave. — Profesor od kojega sam se zarazio poginuo je u istom onakvom crnom Audiju putujući s gospođom časnom preko Klisa, čitao sam u novinama. Vi ste bili s njim u autu, je li tako? I pobjegli u istom takvom crnom Audiju, »četvorci«? — okrenuo se prema časnoj sestri.

Gledala ga je ravno, ne odgovorivši ništa.

— Profesor Ćubelić je bio vaš čovjek, zar ne? — nastavio je. — On je bio s vama u ovome?

— S nama? — pitala je Nepoznata baš poput voditeljice kviza. — S nama u čemu?

Pave je slegnuo ramenima. Starac je gledao u ugašeni televizor.

— Mislim da ne laže — javio se onaj drugi muškarac nakon duže, tupe tišine. — Nema on pojma.

Sad su svi gledali u Pavu. On je spustio pogled očajnički tražeći malu, najsitniju mogućnost da je sve ovo samo san, košmar od groznice, visoke temperature i gnojne upale grla, iz kojega će ga onoga poslijepodneva probuditi sintetički Čajkovski i na vratima se pojaviti Sven s listićima za klađenje.

— Slažem se, ne zna on ništa — rekla je na koncu Nepoznata. — Ja sam za to da ga pustimo.

— A ako ode na policiju? — javila se Časna.

— Što će im reći? Da ga je pokrala polugola crnka, a otela časna sestra, i onda ga zajedno zatočile u podrumu? Volio bih vidjeti lice tom policajcu — smijao se muškarac, izgovarajući glasno upravo ono što je i Pave mislio.

Stari je šutio, ali je Pave osjećao njegove buljave oči na potiljku. Stari je bio glavni.

— U redu — rekao je nakon duže tišine. — Vodite ga doma.

— Čekaj, čekaj! — podigao se Pave, pa odmah sjeo nazad presječen pogledom Izbrijanog. — Što će biti sa mnom?

— Ništa. Idete kući. Očito je riječ o nesporazumu.

— A bolest? Što mi je? Kakva je to bolest? Morate mi reći!

Stari je zaobišao stolac i stao pred Pavu, tako blizu da je osjetio njegov starački zadah. Ogromna bradavica igrala mu je na lijevom kapku poput loptice među gljivama flipera.

— Gospodine — rekao je polako — vi ste zdravi kao dren. Pođite kući i vratite se ženi. Sve je bio nesporazum.

— A bakterija? — rekao je Pave gotovo plačnim glasom. — Kakva je to bakterija? Recite mi o čemu se radi, nisam glup. Cijela ova... tajanstvenost, crne limuzine, provale, profesorova smrt, ovaj podrum. Ionako ću se svakako raspitati za tu... Poglavnikovu bakteriju.

U trenutku je shvatio da se opet zaletio. Vidio je to u sitnim očima Izbrijanog. Pa ipak, onaj mali, glupi vrag u njemu nije dao mira. Sad je ionako kasno.

— Jasno sam čuo da je časna rekla »Poglavnikova bakterija« — dodao je tiše.

— Poglavnikova bakterija, ha? — presjekao ga je starac. — U redu. Baš želite znati?

— Želim znati od čega ću umrijeti, jebi ga.

— Nećete umrijeti — nasmijao se Stari. — To što ste imali nije ništa drugo doli streptokokni tonzilofaringitis. Zvuči gadno, a zapravo je najobičnija upala ždrijela.

— Što je onda Poglavnikova bakterija?

* * *

— Poglavnikova bakterija?

Pave je podigao pogled. Oči koje su ga gledale nikada prije nije vidio. Bile su te oči pune umornog, zrelog prezira, onog s natruhama oporog mirisa mržnje. Svakako, to nisu bile Jelenine oči.

— Pave, o čemu ti pričaš? — rekla je.

— Pusti me da ispričam do kraja. Onda radi šta te volja.

* * *

— To je duga priča — uzdahnuo je Stari i vratio se u naslonjač. — Vi znate da je naš poglavnik dr. Ante Pavelić umro u Madridu prije gotovo pedeset godina, pred Novu 1959. godinu.

— Šezdesetu — ispravio je Staroga muškarac do njega. — Umro je u prosincu 1959. To je uoči Nove godine 1960.

— Dobro, nije važno, jebi ga — uzrujao se Stari. — Oprostite, sestro. Ono što je važno jest da je umro od... vidite, dugo se vjerovalo da je umro od posljedica ranjavanja prilikom atentata u Argentini, kad ga je Udba htjela likvidirati, zbog čega je i preselio u Španjolsku. Prava je, međutim, istina...

Tu je Stari zastao.

— Bakterija? — shvatio je Pave. — Bakterija, zar ne? Hoćete li mi konačno reći o kakvoj se to bolesti radi?

— Da, bakterija. Najobičnija streptokokna upala ždrijela. Ista kao vaša. Istina, Poglavnik je bio izmučen i načet atentatom, dugo je bolovao, ali glave mu je na koncu došla obična, banalna upala koja se liječi juhicama, čajevima, andolima, paracetamolima i šarenim tableticama. Liječnik iz Madrida kojega je Pavelićeva kći pozvala dao mu je penicilin, ne znajući da... Znate, Poglavnik je bio alergičan na penicilin. Par dana poslije Božića Pavelić je umro.

Časna se prekrižila i prošaptala nešto u bradu.

— Obična upala grla?

— Obična upala.

— Ne razumijem. Kakve to veze ima...?

— Polako, čut ćete sve. Fra Branko Marić, ne znam jeste li čuli za njega...?

— Ne.

— On je bio uz Pavelićevu postelju posljednjih dana. Bdijući nad umirućim Poglavnikom i sam je od njega dobio gnojnu upalu angine, a od fra Branka su se kasnije zarazili i Pavelićeva kći, i Stjepan Hefner, njegov nasljednik na čelu Pokreta, on je bio ministar pravosuđa u NDH. Shvaćate, Poglavnik je bio mrtav, a njegova bolest nastavila je živjeti u nama. Bio je to Božji znak. Tako je počelo.

— Tako je počelo... šta?

— Vidite — opet se Stari pridigao iz naslonjača, naslonio o dovratke Pavina stolice i unio mu se u uho — mi smo Čuvari Poglavnikove bakterije.

* * *

— Pave, molim te, prestani — rekla je Jelena, i Pave je prvi put u njenim očima, pod gustim naslagama prezira, prepoznao i tanki bljesak nečega što je moglo izgledati kao zabrinutost, sućut, ili čak strah.

— Mogu li završiti? — podigao je malo glas, osjetivši da je pravi trenutak za to.

Bio je, naravno, u krivu.

— Jel ti sebe čuješ? — prezrivo mu je Jelena ispuhala dim u lice.

Onaj bljesak u njenim očima nestao je i sad je opet to bio pogled koji ubija, sporo i sigurno.

— Čuješ li ti sebe što govoriš? — ponovila je glasnije. — Upleo si Svena, Pavelića, Crkvu i policiju da opravdaš svoje kurvanje! Čuvari Poglavnikove bakterije!

* * *

— Da — odmaknuo se starac i nastavio glasnije. — Bez prekida, od njegove smrti 1959. godine, mi čuvamo Pavelićeve bakterije streptokokne angine. Počelo je od fra Branka, Stjepana Hefnera i Poglavnikove kćerke, koji su se zarazili na njegovoj samrtnoj postelji. Od tada, eto, pedeset godina prenosimo njegovu bakteriju. Danas nas ima mnogo više nego što možete pretpostaviti, dovoljno da u svakom trenutku najmanje četvorica od nas imaju Pavelićevu upalu. I sad već sasvim dostatno da na red za zarazu dolazimo jednom u dvije godine. Da, gospodine, daleki preci streptokoka koje ste vi imali izašli su iz usta Poglavnika Ante Pavelića na Božić 1959. godine. I sve ove godine žive u našim ždrijelima.

— Ali — bio je Pave potpuno smeten — to je obična, kurac, angina.

Časna se opet brzo prekrižila.

— Da, obični, bezopasni piogeni streptokok — nastavio je buljavi starac. — Mali, sićušni jednostanični mikroorganizam, kao što je uvijek sve veliko nastalo iz malog i naizgled bezopasnog. Mi, shvatili ste valjda, ne čuvamo obične uzročnike upale. Mi ne čuvamo samo uspomenu na Poglavnika, u sitnim česticama njegove bolesti mi čuvamo njegov zdrav, živ i žilav duh, da opet uskrisi kad za to dođe vrijeme. Ta oku nevidljiva bakterija, koja se razmnožava, uparuje i povezuje u lance, baš kao mi, to nije ništa drugo doli sjeme iz kojega će poput veličanstvene epidemije opet izrasti Nezavisna Država Hrvatska!

Pave je gledao Starog, koji se zanio kao da govori pred pedeset tisuća duša, a ne ispred na smrt uplašenog i blijedog referenta za video nadzor Gradske sigurnosti. Uzbuđen, suhi je starac ostao bez zraka i opet se uvalio u naslonjač. Pave je shvatio da zaista nije ništa znao, i da tek sada zna previše. Htio je reći: dosta, ne želim znati ništa o tome, pustite me kući i nikome neću reći ni riječi. Umjesto toga usta su se sama otvorila i rekla:

— I prenosite običnu bakteriju angine s koljena na koljeno?

— Točnije, s grla na grlo.

— Ali, zašto ja? — zaprepašteno je Pave čuo vlastiti glas. — Zašto ste izabrali mene?

— Nismo te mi izabrali — uključila se Nepoznata. — Poglavnikov streptokok dobio si u vlaku od profesora Ćubelića. On ju je »nosio« u Split. Naše se časne nisu stigle ni zaraziti, a on je već sutradan, kako si shvatio i sam... hm, poginuo u saobraćajnoj nesreći. Onda su nam iz Zagreba javili da su i oni ostali bez bakterije, i nastala je prava panika. Ti, naravno, nisi jedini potencijalni nosilac izvan kruga Čuvara kojega smo provjeravali. Časna te se sjetila, bio si s njima u vlaku i... Srećom si u razgovoru rekao gdje radiš, pa smo odmah zvali tvoju tvrtku i dobili adresu. Nemaš pojma kako nam je laknulo kad su nam rekli da imaš upalu grla. Bio si jedini koji je pokupio bakteriju. Ostalo znaš.

— Znači, zato si dva puta... — gledao je Pave Nepoznatu zapanjeno — ti si zaista htjela te bakterije od mene!

— Mali trik, moja ideja. Samo nije upalilo. Nevjerojatno, ali nije. Bili smo i kod tvog doktora, tražili tvoj bris, bili smo i kod onog tvog prijatelja...

— Svena.

— Da. Na sreću, bakteriju smo u zadnji čas spasili iz tvoje sline. I to je sve.

Pave se sjetio kako mu je onog dana rekla da »ima u njemu nešto«. Nije ni slutio koliko je bio u pravu kad je rekao da nema u njemu ništa osim upale grla. Nasmijao se kiselo i pogledom zaokružio prostoriju. Svi su gledali u njega.

— Da, gospodine — opet se svečano javio Stari. — Vi ste nekoliko dana bili jedini preostali nositelj Poglavnikove bakterije.

— Što... — zastao je Pave — što da nisam dobio upalu grla?

— Ali jesi — nasmijala se Nepoznata prvi put. — Istina, nije to bilo prvi put da smo među Čuvarima ostali bez bakterije. Ali nikad nije bilo kritično kao sad. Nikad nije ostalo na jednom čovjeku.

— Ne razumijem se baš u bakterije, ali... — razvezao se opet Pave. — Zar se ne mogu čuvati u laboratorijima? Mislim, zašto s čovjeka na čovjeka?

— To nije stvar biokemije — opet se uključio Stari. — Očuvanje s čovjeka na čovjeka, kako ste ono rekli, s koljena na koljeno, za nas ima dublje, filozofsko, rekao bih religiozno značenje. U svojim ždrijelima, shvaćate, čuvamo živu bakteriju. Živu vjeru. Zamrznuta bakterija nije ništa drugo doli mrtva religija. Da, naravno da je možemo čuvati i naravno da je, za svaki slučaj, u laboratorijima i čuvamo. U stvari, to je zgodna priča. Imate vremena?

— Imam li?

— Nekoliko mjeseci nakon što je Poglavnik umro jedan naš mlađi član, student medicine, bakteriju je unio u domovinu i podmetnuo je na nekakvo istraživanje na Medicinskom fakultetu u Zagrebu – vratio se Stari u naslonjač i glasno iskašljao u maramicu. – Riječ je bila o istraživanju čuvanja živih bakterijskih kultura sušenjem na niskim temperaturama, a najsmješnije od svega to što je projekt vodio doktor Jung[8]. Shvaćate? Židov je i ne znajući čuvao Poglavnikov streptokok! Tako da i danas imamo zamrznute bakterije Pavelićeve angine u našem centru u Zagrebu. Odnosno, imali smo.

— Imali?

— Da, lani je naš zagrebački laboratorij pod nerazjašnjenim okolnostima izgorio. Sumnjamo da je riječ o sabotaži. Baš kao, uostalom, i ona »nesreća« na Klisu. I vama je, vidim, jasno da to nije bila tek bizarna nesreća.

— Ali, tko...?

— Udba, komunisti. Srbi, Židovi, Mossad, Wiesenthal, kako hoćete. Već su nam jednom, 1967., zapalili laboratorij u Buenos Airesu. Love nas po svijetu i liječe. Desetak godina kasnije, 1978., na prijevaru su tako izliječili petnaest naših ljudi. Ali, kako vidite, streptokok je preživio.

— Vi, naravno, znate — opet se nakon kraće pauze Pave malo ohrabrio — da je ta vaša priča potpuno... mislim, besmislena.

---

[8]   Jung M., Cekić J., Žagar Ž. – Čuvanje živih kultura patogenih bakterija sušenjem u vakuumu pri niskoj temperaturi. Higijena 1960; 12:226-30.

— Naravno da znamo — upao je muškarac do Starog. — Zato ti je i pričamo. Zato ćemo te, najzad, i pustiti odavde da se vratiš kući. Zato što je naša priča dovoljno besmislena da ti nitko ne bi vjerovao ni da je ispričaš na detektoru laži. Zahvaljujući tome, na kraju, Čuvari Poglavnikove bakterije su opstali i ostali tajnom već skoro pedeset godina.

— A Udba, Židovi...?

— Ne znaš ništa što oni već ne znaju — kratko je odgovorila Nepoznata.

— Znači, pustit ćete me?

— Pa nisi valjda stvarno mislio da ćemo te, što ja znam, ubiti i baciti u more? — nasmijala se opet Nepoznata, da bi se uskoro naglo uozbiljila i ustala. — Zapravo, imaš izbor.

— Kakav izbor? — opet je zadrhtao Pave.

— Možeš se vratiti kući i pijan u kafiću svojim storniranim prijateljima pričati nepojmljive budalaštine o Poglavnikovoj bakteriji, ili... — naslonila mu se desnom sisom na lakat i usnama na uho. — Ili nam se pridružiti.

* * *

— I što si odlučio? — pitala je paleći novu cigaretu.

— Ništa. Pustili su me doma. Došao sam ovamo po tebe i odlučio sve zaboraviti.

— Pave, prestani. Ne pravi se glup — rekla je Jelena otpuhujući prezrivo dim u veliki buket irisa. — Ne očekuješ valjda zaista da progutam tu idiotsku priču? Molim te, reci da nakon svih ovih godina ne misliš da sam toliko glupa. Pitam te što si odlučio s njom.

— S kojom njom? — podigao je Pave pogled.

— Ne ponižavaj se još više, Pave. To je jadno. Namjeravaš li se i dalje viđati s njom? I budi iskren barem posljednji put.

— Jelena, koji ti je kurac? Ne postoji nikakva ona. Zapravo, postoji, ali... sve je istina, kunem ti se.

— I ti si, kažeš, odlučio sve zaboraviti?

— Sve.

— Kao da se ništa nije dogodilo, zar ne? Kao da se ta kurvetina nije s tobom valjala po mom trosjedu? Reci, jesi li odlučio da i ja zaboravim? Da izbrišem, kao video kazetu?

— Ali, Jelena...

— Poglavnikov virus! — rekla je Jelena sada podsmješljivo, onim glasom kojim se ljudi obraćaju budalama, slobodni od svake potrebe da ih budale čuju.

— Nije virus nego bakterija...

— Molim te da Svenovim kombijem do nedjelje doneseš ovamo moje stvari — rekla je na kraju hladno i ustala od stola.

Otvorila je vrata i izašla. Na vratima je stajao Jelenin otac i gledao ga šireći ruke. Pavi se na trenutak učinilo da stari razumije.

— Trosjed možeš zadržati — čuo je njen glas iz druge prostorije.

Velika muha zabadala se u rastvorene cvjetove na stolu. Kroz raskošan žuti plamen ljiljana vidio je televizor pokriven bijelom štirkanom čipkom, na kojoj je u okviru od morskih školjaka stajala njegova i Jelenina fotografija s vjenčanja[9]. Ovako je, sjetio se, sjedio i prije deset godina u Zwickauu, u kući onog trgovca vrtnim patuljcima,

---

9   Pavao Strize i Jelena Gučević vjenčali su se 11. lipnja 1995. godine, kad se Ulrike Strize na sudskom procesu zbog isplate pola milijuna maraka zaljubila u vlasnika kladionice u Zwickauu, a Pave konačno iz Njemačke dobio sve papire. Jelena i Pave u braku su bili osam i pol godina. Službeno su se razveli 29. siječnja 2005. godine, a kao razlog sporazumnog raskida braka naveli su nepomirljive razlike u karakteru.

samo što su za stolom, iza vaze pune irisa, umjesto Ulrike sjedila njezina dva odvjetnika.

Na uključenom televizoru, pod trokutom bijele čipke, suhi starac oštra nosa i izbuljenih očiju s golemom bradavicom na lijevom kapku govorio je nešto o podrezivanju voćaka, kašljao u maramicu i ispričavao se voditeljici. Pave je ustao, ugasio cigaretu i uzeo jaknu sa stolice.

Bijela
točka

— NAMA MUŠKARCIMA to ti je, jebiga, način da ostanemo djeca. To je igra. Muškarcima je, kako znaš, sve igra. Znanstvenici kažu da je kod djece, kao kod svake životinjske mladunčadi, igra priprema za odrastanje, za lov, bitku, život. Za razliku od lavova, vukova ili kitova ubojica, mladunčad čovjeka, međutim, nikad do kraja ne odrasta. Evolucija, razvoj ljudske vrste, naprosto je produžila muško djetinjstvo, mi smo igru pretvorili u profesiju, u način života, ono, mi više ne lovimo antilope, već igramo pikado. To je jednostavno tako. Vi se svojega djetinjstva odričete, ubijate djevojčicu u sebi, ritualno se samoubijate, i to zašto? Da biste pronašli mužjaka i rodili sebi lutkice s kojima se u toj dobi društveno prihvatljivo igrati. Lutkice koje ste dobijali za rođendane bacate na tavane, sve one plišane medvjediće s kojima ste spavali zaključavate u sanduke, i igrate se s njima noću, kad nitko ne vidi, jer je neprilično da se žena blizu tridesete na posao vozi sa zelenom žirafom. I zar je čudno što onda, tražeći mužjaka s kojim ćete zanijeti malu Barbie, tražite dječake, zar je čudno što kod vas nepogrešivo prolaze tipovi s dječačkim pogledom, dječački razigrani: odrasli, spolno sposobni dječaci? Kad, međutim, jednom u dućanu s igračkama nađete svoga Kena, odjednom vam ono što vas je privuklo njemu počinje ići na živce, otkrivate da je onaj razoružavajući pogled zapravo nezreli pogled na život, da su dječaci neodgovorni, da ne vole raditi i da je njima život igra. Onako kako ste nakon gimnazije podmuklo zadavili djevojčicu u sebi sada podmuklo davite dječake u nama, jer vas neopisivo nervira to što se muškarci ne stide svojih plišanih medvjedića, i to što su njihove igračke posve legalne i socijalno kompatibilne: motori, automobili, stereo-uređaji, diskovi, kućna kina, štapovi za ribolov, boce za ronjenje, kurci-palci. Playstation, jebote. Pola mog društva, tridesetogodišnjaci s fakultetima i kreditima, večeri provode uz playstation. Utorkom i petkom igramo nogomet. Zamisli da ti s curama poslije posla ideš ispred dućana igrat školice? Jebiga, Ivona, mi smo se igrali s autićima, dječjim pištoljima i kožnim loptama, a vi s barbie-kućicama, plastičnim loncima i lutkama koje plaču. Mi i danas vozimo autiće, pucamo iz pištolja i igramo se kožnim loptama, a vi uređujete velike kuće i kuhate u pravim loncima, čak su vam i lutke koje plaču prave, žive. Evo, šta si ti Žarinom sinu kupila za rođendan? Plastični pištolj, sjećaš se, Action-man pištolj na vodu. I mali Šime se ne odvaja od njega. To je evolucija, taj je plastični pištolj karika u našoj evoluciji kao i dinosaurusova kost u nekom muzeju. Čim izađu iz rodilišta mali se primati u pelenama razvijaju u dva pravca: vi ste homo sapiens, a mi muškarci homo ludens.

— I sve to da bi me uvjerio da idem s tobom na utakmicu?

— Učini mi to. Volio bih da me upoznaš, da upoznaš moj svijet. Jedan dio tog mog svijeta je nogomet. Dijelit ćeš me s njim i bio bi red da ga upoznaš. Ne očekujem da ideš svaku subotu, iskreno, ne bih to ni želio, ali se nekako nadam da će ti ova utakmica pomoći da shvatiš. Pa ja idem svake nedjelje s tobom u shopping-centar! A tebi čak nije ni stalo da ja shvatim zašto je zanimljivo obilaziti dućane s cipelama.

— Lovre, ti i sam znaš da ne postoji način da shvatim što je u nogometu tako zanimljivo. Razgovarali smo o tome, znaš isto tako da nisam koza koja grinta kad s društvom ideš na utakmicu. Nemam ti ja problema s tim. Nerado ti priznajem, ali čak ste mi ti, Petko i Žare ponekad i simpatični, onako debilni sa šalovima i pivom ispred dućana. Iako znaš šta mislim o Žari.

— Dobro, Žare je malo na svoju ruku. Mislim da je u njegovom slučaju stvar s nogometom mnogo jednostavnija.

— Ne, ne, sve to ja razumijem. Prijatelji ste iz djetinjstva, to shvaćam, čak shvaćam i to da se jednom tjedno ti i Petko... mislim, da se dva pristojna odvjetnika jednom tjedno druže s klasičnim torcidaškim mamutom iz crne kronike, ali vjeruj mi, i taj mi je vaš debiluk razumljiviji od tvoje iznenadne želje da odem s vama na utakmicu. Ne razumijem što ti je toliko stalo? Hajde lijepo s Petkom i Žarom, kao i uvijek, što ću ti ja?

— Vjeruj mi, vidjet ćeš. To, jebiga, kad krene, ono, pun stadion, pjesma, bengalke, adrenalin, Mišo Kovač, »Dalmacija u mom oku«, huk s tribina, ludilo. Iskonska emocija, možda atavistička, ali iskrena.

— Jebote, Lovre, kako sereš.

— Ne, Ivona, bez zajebancije. Ne postoji ljudsko biće koje može biti ravnodušno na to. Ti si emotivna osoba, ja ti garantiram da ćeš doživjeti tu emociju. Jebeš sad igru, ne želim niti imam ambiciju da te naučim uživati u dobroj akciji, dodavanju, ono, ali želim ti prenijeti tu emociju. Nećeš nikad vidjeti muškarce kako javno pokazuju emocije, nikad osim u ratu i na utakmici. Rat je sranje, rat je smrt, ali nogomet je život. Radost zbog postignutog gola je čista sreća, malo je tako čiste sreće na ovom svijetu. Ovo što ću ti sada reći rekao bi svaki muškarac, samo da smije, a ja ću ti reći zato što znam da si divna osoba koja to neće krivo shvatiti: ja te volim najviše na svijetu, ali ti me nikad nećeš usrećiti kao Rapaić kad ga je uvalio Dinamu sa trideset metara.

— Zašto misliš da me sad nisi uvrijedio?

— Ma dobro, serem, ali samo ti pokušavam objasniti. Zar te ne jebe da vidiš šta je to zbog čega muškarci mogu plakati od sreće?

— Šta ako bude sranja, Lovre? Uvijek bude sranja.

— Kakva sranja, idemo na tribine, tamo je sigurno. Pa Žare vodi maloga! Jedno poluvrijeme, Ivona. Samo jedno poluvrijeme.

— Tako ti je stalo?

— Tako mi je stalo.

— Iz dvice u jedinicu?

— Aha. Oklada je da će Dinamo u prvom poluvremenu povest, a Hajduk na kraju pobijedit.

— I šta, koeficijent je dvadeset?

— Dvaespet. Na soma eura dvaespet iljada. Dvaespet iljada, alo!

— Odakle tebi to?

— Od Rusa, znaš da je Rus u tom điru. Sve zna. Navodno je dojava direktno iz Hajduka. Da je sve namišteno, da je dogovoren penal, pred kraj poluvremena.

— Sereš, Grubi. Jebote, kad bi to bilo tako, pola grada bi se kladilo na to.

— Pola grada ne zna. Znaš da se to ne govori svakome.

— Evo znan ja, koji nikad nijednu dojavu u životu nisan dobija.

— Tako je, Čombe, računaj da to ja častin. Kum si mi, znan da si u kurcu s lovon, dužan si na sva strane, Čop te traži za onu lovu, živiš ka stoka. Ako budeš pametan, sutra ćeš stavit na to bar soma. I nećeš srat okolo o ovome.

— Poluvrijeme-kraj?

— Aha. Iz dvice u jedinicu.

— Koliko su te dojave... koliko je to sigurno?

— Samo da ti kažen da san zadnji put proda Golfa i protiv Kamen Ingrada stavija na dvicu tri soma eura. Šta misliš odakle mi Opel?

— Meni nisi ništa spominja. A kum san ti.

— Nisan smija. Ubija bi me Rus. A ovo san ga pita i reka je da ti mogu reć. Al samo tebi. Znači, nikom živon ne smiš reć.

— Oćeš ti šta stavit?

— Normalno.

— Iz dvice u jedinicu?

— Čombe, oćeš da ti nacrtam?

— Šta ja znan. Meni je to malo nemoralno.

— Tebi je to šta?

— Nemoralno. Kladit se da će Dinamo povest. To je loša špura. Ka da zazivljen.

— Ka da šta?

— Ka da zazivljen da Dinamo povede.

— Pa Dinamo će i povest, kretenu, kako si tako glup? Bogati, jel vas zaštitare biraju tako glupe?

— Ne seri sad.

— Namišteno je, budalo. Njima poraz ništa ne znači, a Hajduk će ka malo smirit Torcidu. Plus će zaradit lovu. Čovječe, pola se Hajduka kladilo u Špike, reka mi je Rus. Iz dvice u jedinicu. Možda i blokiraju utakmicu, već se počelo šuškat o svemu. Bolje požuri.

— Iz dvice u jedinicu?

— Dvaespet iljada.

— A bi li meni Rus posudija koju lovu? Dva-tri soma?

— Valjda bi. Nije to problem. Al znaš njegovu kamatu.

— Nemoj me sad jebat. Reka si da je sigurno.

— Slušaj, bi li ti ja ovo govorija da nije? Evo ti moji listići, kretenu, pogledaj: Federer, Real i Hajduk. Sve zajedno, na soma eura triesdvi iljade. Stavi lovu i odjebi i Kobac Security i Čopa i Ivanku i sve pošalji u kurac. Bit ćeš milijuner.

— Jebalo majku.

— Ha en ka Hajduk, izvolite.

— Dobar dan, Lovre Maras ovdje, ja bih trebao Jozu iz marketinga.

— Kako ste rekli, Lovre?

— Lovre Maras, zna on, čuli smo se jutros.

— Momenat, molim. Jozo, za tebe je(...) Halo?

— Dobar dan, ja sam jutros zvao, pa ste rekli da se javim. U vezi dogovora za subotu, ono za utakmicu...

— Aha, ti si, pa šta ne kažeš! Čekam ja da se javiš, ali kasnije, mislio sam da ćeš zvati kasnije, oko pet.

— E, pa ja, evo... Samo da provjerim je li sve u redu za subotu. Znate, dosta mi je to važno...

— Ha, kome nije? Vidi, sve je kako smo se dogovorili, sve ostaje...

— Znači, na kraju poluvremena...?

— Na kraju poluvremena, to je sve sređeno kako smo se dogovorili, samo ima jedna mala promjena: trebalo bi pucati na lijevu stranu.

— Lijevu?

— Aha, na tvoju lijevu. To je dosta važno da zapamtiš, na tvoju lijevu stranu. Samo je ta promjena, sve je ostalo kako smo rekli.

— Mislio sam da će se pucati s moje desne strane. Logičnije je tamo gdje je semafor.

— Kakve veze ima semafor?

— Onako, mislio sam...

— Ne, ne, pitao sam Markotića, on bi radije da se puca na lijevu stranu.

— Markotić?!

— Aha, to je sve već dogovoreno i organizirano.

— Markotić, kao vratar Markotić?

— Vratar, normalno.

— Znači, on bi da se puca s lijeva?

— Samo to zapamti. Tvoja lijeva strana.

— A lova?

— Šta s lovom? Ima li neki problem?

— Ne, nema, samo provjeravam.

— Pet tisuća je u redu, ja mislim da je to pristojna lova.

— To je u redu, meni je to okej. Do sutra najkasnije, ako sam shvatio?

— Do sutra. To smo onda sad sve dogovorili?

— Što se mene tiče...

— Zvučiš malo nervozno. Je li ti ovo prvi put da to radiš?

— Prvi, i ja se nadam posljednji.

— Znaš kako kažu: nikad ne reci nikad.

— Ha, ha, točno.

— Samo, nemoj mi se sad usrat tamo. Da nismo sve ovo radili, je li... za kurac. Razumiješ? Na koju se stranu puca?

— Na moju lijevu.

— Odlično. I... sretno.

— Hvala najljepša.

— Kako misliš prekid?

— Tako lipo. Prekid. U slučaju prekida koeficijent je jedan, oklada se poništava i ne gubimo lovu. Uložiš milju, vrate ti milju.

— Jebotebog, Rus, to je genijalno.

— A šta si mislija, Grubi, da san ja idiot? Da će in Rus tek tako poklonit pet milja?

— Ali reka si da je dojava stopostotna, penal za Dinamo na kraju poluvremena i to.

— Ma je, to je sve sigurno, ali jebi ti to, Grubi. Volin se ja i osigurat. Pet milja je pet milja.

— Znači, ne bude li na poluvremenu Dinamo vodija, prekidamo utakmicu?

— Nego šta. Opća makljaža. Kaos na Poljudu. Ubij, zakolji, eeeee!

— Genijalno. A koji je plan?

— Ovako, panduriji je puštena priča da će bit nereda, da Torcida upravi sprema sranja. Osiguranje će bit ka nikad do sad. A glavna je priča da će u stadion ovi put bit uneseno i vatreno oružje, da se planira ubojstvo direktora Dinama.

— Ubojstvo? Sereš!

— Slušaj sad ovo. Žare... znaš Žaru?

— Znan Žaru, ali on otkad je dobija sina ide samo na zapadnu tribinu.

— Tako je, i na svaku utakmicu vodi maloga, Šimu. A mali ima neki kurčevi pištolj na vodu, dičji, uvik ga nosi. Pazi sad: ne bude li Dinamo vodija, kad sudac odsvira poluvrijeme...

— Oće proć mali s pištoljen?

— Na stadion? Govorin ti da ide na svaku utakmicu. Ne odvaja se od toga pištolja. Plastični pištolj, dičji. Di san sta?

— Kad sudac odsvira poluvrijeme.

— E da. Ako Dinamo slučajno na poluvremenu ne bude vodija, Žare će uzet Šimi pištolj i uperit ga u ložu, na onoga pedera. Biće odma blizu lože. A tamo je i pandurija. Panduri će skočit na Žaru, nastaće sranje, i onda nastupamo mi.

— Na sjeveru?

— Normalno. Jebaćemo pandurima mater zato šta mlate naše na tribinama. Ja i Tajson zapalit ćemo rulju na sjeveru i eto kaosa na Poljudu. Provalićemo na teren, sorit sve i prekinit utakmicu.

— Znači, Žare će isprovocirat nered?

— Aha, a mi prekid. Tako štitimo lovu od oklade, plus šta će pandurija popušit jer je na tribinama mlatila oca maloljetnog diteta, plus šta je Torcida nevina, plus šta će ih Žare tužit i dobit odštetu. Ima neke prijatelje advokate, s njima je dobar, ide s njima na utakmice.

— Jebeš mi mater, ti si genij.

— Plus šta će Hajduk izgubit tri nula bez borbe, ispast iz Lige za prvaka, i uprava će najebat. Eto, ako mene pitaš, to ja zoven sigurna oklada.

— Čija je to ideja, bogati?

— Ja i Tajson smislili. Samo, pazi, ne seri okolo o ovome. Samo nas desetak zna. I za dojavu i za plan be.

— Šta ti je? Nego, kad si to spomenija, reci mi jel ti se javlja Čombe?

— Koji Čombe?

— Oni mali iz Kobac Securityja, priča san ti, moj kum. Šta san te pita mogu li mu reć za dojavu. Dobar tip, naš čovik. Reka je da će te pitat da mu posudiš lovu za okladu.

— A je, sve je sređeno, dva soma. I više niko, jesi razumija?

— Šta niko?

— Više nikome ne govori za dojavu, jesi čuja?

— Nemaš problema.

— Gospodine Gelo, svi smo tu.

— Hvala. Gospodo, vi svi manje-više znate zašto smo se okupili, je li tako? Stvar je visoko povjerljiva, i sve što se ovdje kaže ostaje među nama petoricom u ovoj sobi. Evo ovako: inspektor Rančić, naš čovjek iz Odjela za suzbijanje gospodarskog kriminala, mislim da ga svi znate, on mi je potvrdio sve, oni imaju jasne dojave da će stvar biti namještena onako kako smo zadnji put razgovarali.

— Iz dvojke u jedinicu?

— Točno. Ovaj put sve ide preko Joze Zlodre iz Hajdukovog marketinga, on je glavni logističar, javljeno je da su u igri oba vratara, Markotić iz Hajduka i Gržek iz Dinama, i još neki igrači, Zlatko Bilić, Ivor Jerčić, za njih znam, i drugi neki još. Sudac je Ušljebrka, ali on izgleda nije u igri, namješta se bez njega. E sad, ja ne moram valjda ovdje ponavljati da sve naše oklade moraju ići preko trećih osoba i da te osobe moraju biti od najvećeg povjerenja. Nećemo da se priča, a kamoli da se sazna da se i policija kladi, je li tako?

— Koliko je sigurna ta dojava?

— Ha, ako Uskok i policija to ne znaju, tko onda zna? Prisluškivani su telefoni, stvar je sigurna. Znam, nema sigurne oklade, ali vi znate i to da smo do sad imali samo tri sigurne dojave, i da smo sva tri puta pogodili, je li tako?

— Osim Šabana, koji je igrao i na Reala.

— Ne seri.

— Eto, na primjer, Real. Nema sigurne oklade, je li tako? Što ako, pretpostavimo, stvar krene krivo i na poluvremenu ne bude dogovoreni rezultat? Samo pretpostavka.

— Do viđenja plaća!

— Točno. Osim kad stvar organizira zapovjednik interventne policije Damir Gelo. A zapovjednik interventne policije Damir Gelo ovaj put ima savršeni plan.

— Kakav savršeni plan?

— Prekid utakmice.

— Prekid utakmice?

— U slučaju prekida utakmice, ona se briše iz ponude, a na listićima ostaje koeficijent jedan, što znači da osoba koja se kladila niti šta gubi, niti dobija, je li tako? Drugim riječima, to je najbolje moguće osiguranje oklade. Naročito ako se, kao u našem slučaju, kladi na kombinaciju poluvrijeme-kraj.

— Shvaćam, ako na poluvremenu Dinamo ne bude vodio...

— Prekidamo utakmicu.

— To je odlično. Ali kako, mislim... kako?

— Najjednostavnije. Tko je ovlašten da prekine utakmicu?

— Sudac valjda.

— Tako je, ali i policija! Pa na svakoj utakmici imamo bar desetak povoda da rasturimo tu huligansku gamad i prekinemo utakmicu, je li tako?

— Ali kako ćemo to izvest?

— Ovako stoje stvari: svi znate da se Torcida ionako sprema za nerede, znate da nam je javljeno i za prijetnje direktoru Dinama, navodno da će u teren biti uneseno i vatreno oružje. Ja osobno mislim da je to pizdarija, ali pripravnost policije podignuta je na najviši stupanj, angažirane su i dodatne snage i zaštitari, mislim oni šupci iz Kobac Securityja, i po mojim procjenama neće ni biti potrebe nešto posebno provocirati nerede. Svi, međutim, znamo da se utakmica ne prekida samo zbog tuče na tribinama, je li tako? Nama za prekid trebaju neredi na igralištu, na travnjaku.

— Kako ćemo to?

— Ja ću osobno izdati zapovijed da specijalci dolje, s tartana, uđu na sjever, kao da smire nerede. Otvorit ćemo vrata ograde s terena i stvar riješena. Kad se Torcidi ta vrata otvore, nećemo ih više moći zadržati ni kad bismo to htjeli. A mi se baš i nećemo ubiti od htje... htjevanja.

— To zvuči dobro. Neće nas provalit?

— Kako će nas provalit?

— Tko zapovijeda dolje, Kurbaša?

— Kurbaša, to je moj problem, on je moj. Ima li još pitanja?

— Ha en ka Hajduk, izvolite.

— Dobar dan, Zlatko ovdje, Bilić, iz Dinama. Ja bih trebao Jozu iz marketinga.

— Kako ste rekli, Zlatko?

— Bilić. Čuli smo se jutros, zna on.

— Momenat, molim. Jozo, za tebe je(...) Halo?

— Dobar dan, Bilić je, iz Dinama. Rekli ste da se javim danas poslijepodne, u pet sati, oko dogovora za subotu...

— Ti si, opet? Ne, ne, nisi me razumio, sve je u redu, sve kako smo se već dogovorili.

— Znači, sve ostaje onako... penal, poluvrijeme, sve?

— Sve po dogovoru.

— Odlično, odlično.

— Ostalo je sve u redu? Svi kod vas znaju svoj posao?

— Sve okej.

— Zapamtio si u koju stranu trebaš pucat penal?

— Nema problema. Na tu stranu i inače pucam.

— Ti nisi normalan, Čombe. Dva soma eura?

— Stvar je sigurna, Ivanka, ništa ne brini. Ovo će nas izvuć iz svih govana.

— Posudija si dva soma eura u Rusa? Jel ti znaš koje su kamate u Rusa? Jel znaš kako je Šaban proša lani, kad je u njega posudija lovu za okladu?

— Šaban je glupi pandur. Jel čuješ šta ti govorin? Dojava je sigurna, utakmica je namištena. Poluvrijeme-kraj. Dinamo na poluvremenu vodi, čak je dogovoren penal pri kraju poluvremena, a Hajduk na kraju dobija. Koeficijent dvaespet. Na uložene dvi iljade, to je pedeset iljada eura. Pedeset iljada, alo!

— Ne znan, ne razumin ja te tvoje konficijente, znan samo da nikad ništa nisi dobija. Kako sad možeš bit tako siguran?

— Jel slušaš ti šta ti govorin? Rus je Grubome reka da je stvar namištena. Znaš da Rus zna. I on se kladija. Šta je tu tako konplicirano za razumit?

— Niti razumin, niti mi je to drago.

— Zašto si uvik tako paranoidna? Osim toga, Grubi mi je pokaza listić, on se kladija, znaš da su on i Rus prst i nokat.

— Ne znan, šta ako izgubiš?

— Ne budi smišna, Ivanka.

— Ivona.

— U redu, Ivona, smiri se.

— Znaš kako mrzin to ime. U Splitu san Ivona.

— Izvini, Ive... sve je u redu.

— Kurac je u redu, šta ako ipak izgubiš? Odakle ti lova da vratiš Rusu? Ubiće te, Čombe! Ubiće te ki pivca.

— Ne boj se, Ivona. Vidiš ove listiće? To je rješenje svih mojih problema. Naših problema. Vratićemo sve dugove, odjebaću Kobac security, otvoriću auto-praonicu i imaću svoj biznis. Sam svoj gospodar. Pedeset iljada, ej!

— Oćemo se onda vjenčat?

— Opet ona.

— Kad ćemo onda?

— Kad bude vrime, Ivanka, ne pilaj me više sa vjenčanjem!

— Jebala te Ivanka!

— Dobro, Ivona, smiri se, bit će sve u redu. Sutra radin na stadionu, ićeš sa mnon i gledat kako se bogatimo, važi? Ajde, smiri se.

— Kako ću se smirit? Smiriću se kad se vinčamo kako Bog zapovida. Nisan ja kurva, Čombe!

— Alo Lovre, Petko je.

— Ej.

— Šta je bilo, je li dogovoreno?

— Sve.

— Fenomenalno. A šta kažu u Hajduku?

— Svidjela im se ideja. Naročito ono s vatrometom. A i nije skupo. Pet hiljada.

— Kuna?

— Aha.

— Znači ipak će bit i vatromet?

— Bit će spektakl, Hollywood. Samo što vatromet neće biti na jugu, gdje je semafor, nego s lijeve strane, na sjeveru, tamo gdje je Torcida.

— Znači, od tamo se puca?

— Aha, taj njihov majstor za vatromet, neki Markotić, on je promijenio, valjda mu je tamo zgodnije.

— Nema veze. I kako si dogovorio, kad će to bit?

— U poluvremenu, čim završi poluvrijeme.

— Čovječe, koji si ti igrač! Jesi li rekao Žari?

— Nisam, nemoj ništa govorit Žari, on je kreten, znaš njega, do navečer će svi znati pola Splita.

— Da kreten! Znaš da me danas pitao bi li mu pomogli da tuži policiju?

— Ko, Žare? Zašto?

— Ne, nego teoretski, ako bi opet dobio batine od policije.

— Tužio bi policiju?

— Aha. MUP.

— Poštovani gledatelji dobar dan s Poljuda koji je pred početak najvećeg derbija hrvatskog nogometa moram reći više nego pristojno ispunjen ako znamo u kakvoj je krizi Hajduk kojemu ovaj derbi rezultatski ništa ne znači osim prestiža jer kad igraju Hajduk i Dinamo položaj na tablici ne znači mnogo a kad se zna i za priče koje ovih dana kolaju medijima i nogometnim kuloarima nije ni čudo da današnji derbi prate tenzije kao da ova utakmica izravno odlučuje o prvaku nekih dvadeset dvadeset i pet tisuća gledatelja došlo je danas na Poljud Torcida je kako vidite ispunila onaj svoj sjeverni dio tribine do posljednjeg mjesta vrijeme je pravo proljetno temperatura oko dvadeset stupnjeva nema vjetra uvjeti dakle idealni za igru pozornica za jednu veliku nogometnu predstavu je spremna a za vjerovati je da će to i biti velika predstava jer ponavljam igrači jednog i drugog kluba rasterećeni su rezultatskog imperativa Dinamo uvjerljivo vodi na tablici Hajduk je tek četvrti sa dvanaest bodova manjka i ova utakmica osim čistog sportskog prestiža ne nudi ništa što bi moglo ubiti sportsko nadigravanje uostalom trener Hajduka najavio je da će njegovi igrači napasti od prve minute i da je za njega svaka utakmica s Dinamom posebno prvenstvo rekoh znate i sami da ovaj derbi već nekoliko dana prate rekao bih ružne kuloarske glasine spominjale su se i neke sumnje u namještanje i nekakve najave nereda ali evo vidite i sami dekor na Poljudu je veličanstven Torcida raspjevana i ja uopće ne sumnjam da ćemo večeras gledati lijepu i zanimljivu utakmicu čuli ste već i trenera Dinama koji kaže da su priče o namještanju besmislice i da se takve glasine pojave prije svakog derbija ali vratimo se onome zbog čega smo svi sad ovdje i vi pred malim ekranima vratimo se nogometu evo sad i sastava momčadi.

— Gospodine, ja vas moram pritrest.

— Nema problema.

— Šta je ovo?

— Upaljač.

— Moraćete ga ostavit ovdje, u kutiju ga bacite.

— Pa čime ću onda pripalit?

— Pitajte koga da vam da vatre, šta ja znan...

— Kako će mi ko dat vatre kad uzimate upaljače na ulazu?

— Otkad je to moj problem? A šta je ovo?

— Kojo?

— Ovo kod maloga.

— Pištolj, dječji pištolj, plastični. Šime, pokaži barbi pištolj.

— Žao mi je, gospodine, morat ću vam i to oduzet.

— Dječji pištolj?

— Svaki. Pištolj je pištolj. Nikakovo oružje, molim vas.

— Ali...

— Gospodine, meni je tako zapoviđeno, ja ovo oružje moram izuzet.

— Kakvo oružje, čovječe?

— Čombe, kakva je to gužva kod tebe?

— Ivanka, makni se. Vidiš da oće čovik s pištoljon uć.

— Kakvi pištolj, dječja igračka, plastična, to je pištolj na vodu! Evo, pogledajte. Ovo je neviđeno! Debil s pravim pištoljem ne da u stadion djetetu s plastičnim pištoljem!

— Gospodine, nećemo se vriđat.

— Čombe, jebate, pusti čovika, vidiš da mali plače!

— Ivanka, ajde sidi tamo na tribine i pusti me da radin svoj posa. Žao mi je, gospodine, neću ja taj posa izgubit zbog igračke.

— Onda neka znate da ću tužit i vas i vaš taj, kako se zove, Kobac Security! Vi mome malome sad činite traumu iz djetinjstva, jel vam to jasno? Lovre, Petko, objasnite mu.

— Gospodine, zaista nema potrebe, mi smo pravnici i to što radite...

— Gospodo, ako ste pravnici, onda znate da je zakon zakon. Meni je žao, ako malome toliko znači, evo ja ću pištolj držat kod sebe, i posli utakmice možete doć ovamo i ja ću vam ga vratit. Ivanka, molin te, ajde na tribine.

— Jebala te Ivanka.

— Ivona, nemoj me sad i ti... Ivona!

— I to je to, Lovre?

— Šta?

— Utakmica. To je, znači, ta iskonska emocija, igra, život i radost? Dvadeset odraslih muškaraca dva sata radosno skakuće po livadi, a trideset tisuća odraslih muškaraca radosno ih gleda. Što je najgore, gledam ih i ja, već pola sata, i jedino u čemu se s tobom mogu složiti jest da je nogomet sam život. Ovdje se, moj Lovre, baš kao u životu, ne događa baš ništa.

— Dobro, Ivona, sad si malo ironična.

— Ne, ozbiljno. Koliko sam shvatila, cilj te radosne igre što slavi život je da lopta prođe kroz ona vrata?

— Tvoj ti sarkazam pomaže baš koliko i meni u dućanu s cipelama.

— Mislim, ako je cilj dati gol protivničkom vrataru, ne razumijem zašto ne trče prema njemu? Ili je moja taktička zamisao previše revolucionarna?

— Nije stvar samo u igri, nego u cijelom ritualu. Inače bi se utakmica mogla gledati i na televiziji.

— Zašto onda gledaš svaku utakmicu koja je na televiziji?

— Zato što... jebiga sad.

— Zašto barem ne dopustiš mogućnost da je nekome ovo potpuno i savršeno dosadno, besmisleno i umobolno?

— Ne možeš to reći, Ivona. Utakmica nije samo igra loptom, nogomet je mnogo više. Nogomet je i mogućnost da ponekad u životu pobijedi slabiji, da pobijedi pravda, nogomet je stvarna mogućnost čuda, to je i sve ovo oko terena, tribina kao slobodni teritorij, jedino mjesto na svijetu gdje možeš svakome reći sve što hoćeš, razumiješ? I to je dio igre.

— Zašto onda ja na tom slobodnom teritoriju ne mogu reći da je ovo potpuno i savršeno dosadno, besmisleno i umobolno?

— Kad bi uložila malo strpljenja i dobre volje, možda bi i shvatila kako nogomet može biti, ono, veći od života.

— Gdje si to pročitao, u Sportskim novostima?

— Dobro sad...

— Reci, bi li se ti naljutio ako ja sad pođem kući, a ti ostaneš s Petkom i Žarom?

— Ne, ne!

— Ne, stvarno, Lovre, uzet ću taksi. Mogla bih i Žarinog malog odvesti doma, da u miru gledate. Nije stao plakati za onim pištoljem. Kupit će tebi teta Ive novi, nemoj plakat! Žare, da ga vodim?

— Vodi ga, molin te, ne mogu slušat više ovo kmezanje. Debil debilni. Jebemimater tužiću ih! Dječji pištolj!

— Ne, čekaj, Ivona. Ostani samo do poluvremena, pa onda kako hoćeš. Molim te.

— U redu, ali samo do poluvremena?

— Do poluvremena.

— Koliko još ima?

— Sad će, još pet minuta.

— Alo, jel me čuješ? Gelo ovde.

— Izvolite, gospodine zapovjedniče.

— Nema ništa od ovoga, ovo će završit nula nula. Slušaj, sad će brzo kraj poluvremena. Jeste li svi na svojim položajima?

— Sve u redu.

— Ti i dalje gledaj oko svečane lože. Neću nikakve pizdarije. Ima li sumnjivih osoba?

— Ništa, sve u redu. Nema ništa, bila je samo na ulazu nekakva gužva, netko je pokušao unijeti plastični pištolj, ali su mu ga uzeli ovi iz Kobac Securityja.

— E da, oni paze na plastične, a policija na prave. Nabijem ih na kurac.

— Razumijem, gospodine zapovjedniče.

— Otvori sve oči, ja ću sad javiti Kurbaši dolje da bude spreman.

— Razumijem.

— U kurac. U kurac! Grubi, koliko još?

— Zadnja je minuta.

— Ne mogu virovat. Ne znaju niti namistit. Dva puta oni kreten pada a sudac ništa ne svira! Kakav debil moraš bit za namištat utakmicu bez suca?

— A možda, jebiga... možda stvarno nije namišteno.

— Kurac nije. Jesi vidija ova dva penala? A sudac ništa! Pa se onda pitaju zašto nan je pravosuđe u kurcu. Vidi sad onoga kako se valja! Igraj, majmune, vrime ide! Jebamebog sve ide u kurac, ovo će završit nula nula. A Žari uzelo oni dičji pištolj.

— Normalno kad ide na zapad sa dicon. I onin svojin intelektualcima.

— Ništa, moraćemo sami spašavat sad. Di je Tajson? Tajči!!!

— Čekaj, Rus... čekaj...

— Evo ga... evo ga, šta san ti reka? Šta san ti reka? Penal!

— Penal! Penal!

— Šuti, Grubi, jebotebog, oćeš da te ubiju sad ovde?

— Jebamebog parija je pravi penal! Ka da nije namišten!

— Šta san ti reka? Sve je dogovoreno, penal za Dinamo, gotovo je, upali smo u lovu!

— Ne mogu virovat, čoviče! Čekali su zadnju minutu! Ovo je za infarkt.

— Aj sad još skači od sriće, kretenu! Ua sudac, jeben-timrtvumater! Buuuuu!

— Buuuuuu! Cigani, cigani!

— Ubij, ubij, ubij purgeraaaaa, purgeraaaa, purger-aaaaaaa, ubij, ubij...

— ...ubij purgeraaaaa, purgeraaaa, purgeraaaaaa!!!

— Govna purgerska!

— Čekaj, još triba dat gol. Ko će pucat, je li? Rus, ko puca?

— Bilić, ko će drugi?

— Smeće prodano. Govnoooo!!! Neće valjda pro-mašit sad?

— Ne može promašit, kako će promašit? Kad se namišta, onda se dogovara strana na koju će pucat.

— Misliš da je i to dogovoreno? Strana na koju će pucat?

— Fala kurcu.

— Kakva završnica prvog poluvremena dragi gle-dateljiii četrdeset minuta na travnjaku se nije događalo ništa a onda u tri minute dvije sporne situacije u šesna-estercu Hajduka na koje je sudac odmahnuo rukom i sa-da na isteku sudačke nadoknade Jerčić ničim izazvan potpuno nepotrebno skreće Kodrićev centaršut rukom i ovoga puta sudac Ušljebrka je naprosto prisiljen pokaza-ti na bijelu točku penal za Dinamo u posljednjim sekun-dama poluvremenaaa stadion je proključao iako smo mi-šljenja da je jedanaesterac čist kao suza nema dvojbe evo sad će se vidjeti na usporenom snimku da da daaa Jerčić je igrao rukom čak se ni igrači Hajduka ne bune kakva moram to reći kakva glupost iskusnog Hajdukovog sto-pera i evo sad dakle prilike da Dinamo na odmor ode s velikom prednošću loptu uzima naravno Bilić stadion zviždi razumljivo Bilić je do prošle sezone bio Hajdukova zvijezda a sad je evo u prilici da na svome bivšem stadionu svome bivšem klubu zabije gol ali ovo je sada ružno mogu se razumjeti frustracije Hajdukovih navijača ali ovakvim skandiranjima zaista nije mjesto na ovakvim nogometnim svečanostima Bilić međutim ne pokazuje nervozu uzima kratki zalet i i iii Markotić brani nevjerojatno Markotić braniii Bilić ga je praktički pogodio u glavu bolje rečeno Markotić ga je pročitao bacio se u svoju lijevu stranu i Bilić ga je pogodio u glavu pogledajte ni vratar Markotić kao da ne vjeruje da je obranio penal gleda svoje suigrače u čudu a i oni su skamenjeni poštovani gledatelji nisam ovakav prizor nikada vidio Bilić je sada opkolio suca Ušljebrku tražeći da se kazneni udarac ponovi ali ja moram priznati da nisam vidio da je netko od igrača Hajduka ušao u šesnaesterac ne ne sudac odmahuje rukom i svira kraj poluvremena gotovo je nula nulaaa sada su i igrači Hajduka oko suca i nešto raspravljaju ne znam o čemu je riječ možda kolega Cvitanić dolje na travnjaku zna nešto više.

Dario Romac zvani Čombe, zaštitar tvrtke Kobac Security, stajao je na tribinama, na izlazu pored svečane lože, i zurio dolje u travnjak. Igrači jedne i druge momčadi poput čopora hijena trčali su poljudskom savanom za sucem, a Čombe je još jednom, nadajući se da je sve samo košmarni san, skrenuo pogled ka semaforu na kojemu je velikim električnim slovima pisalo 0:0. Gledao je tupo u te dvije velike bijele točke, pa opet u onu bijelu točku u Hajdukovu šesnaestercu, točku u koju je stao cijeli njegov život.

Osjećao je kako mu se unutrašnji organi miješaju u utrobi kao u perilici rublja, stadion se tresao i točno je mogao vidjeti kako se golemi krov urušava, kako cijelo igralište i tribine propadaju i upadaju u onu jebenu bijelu točku, kao u golemu rupu u zemlji koja usisava sve – nebodere oko Poljuda, Marjan, automobile, stabla, dvadeset pet tisuća ljudi i njegovih pedeset tisuća eura, sve. Cijeli se njegov svijet rušio, propadao i nestajao u toj točki.

Piljio je u bijelu točku i u njoj, kao na kraju tunela, vidio Rusa kako mu se smije i traži svoj novac s kamatama, vidio je njegove gorile s bejzbol palicama, vidio je i Čopa kako traži svoj novac, i njegove gorile s pajserima, i Ivanku u vjenčanici kako histerično plače i izbacuje njegove stvari iz njenog stana, i samoga sebe pretučenog i mrtvog u jarku, sve je to vidio u onih nekoliko trenutaka nakon što je Poljud presjekao posljednji zvižduk suca Ušljebrke.

Pogled mu je potom pao prema dolje, na dva pištolja u njegovim rukama: u lijevoj plastični dječji pištolj za vodu s logotipom Action-mana, a u desnoj službenu berettu 7.9 s logotipom Kobac Securityja – rješenje svih njegovih problema. Stezao ga je čvrsto u ruci i još jednom pogledao onaj busen bijele trave: to je, dakle, točka s kojom će sve završiti, ta će bijela točka stajati na kraju njegove rečenice. Onda je najprije polako pridigao glavu, pa desnu ruku s pištoljem.

Trenutak prije nego što će prisloniti cijev na sljepoočnicu, osjetio je snažan udarac u leđa. U istom času začuo se reski pucanj, zapravo prasak, poput eksplozije, i već su na njegovim leđima bila trojica do zuba naoružanih specijalaca iz Interventne policije. Čuo je iznad sebe glas, »Pištolj, ima pištolj!«, potom još jedan isti onakav prasak, pa još jedan, i nebom su zaigrali grozdovi crvenih, zelenih i žutih zvjezdica.

S glavom pod policijskom čizmom Čombe je gledao potpuno nadrealan prizor: s lijeve strane, dolje, na travnjak je kroz vrata na ogradi prodrlo podivljalo krdo navijača gazeći sve pred sobom, vidio je Tajsona kako nasrće na policajca s ogromnom letvom, i Rusa kako se penje na prečku i zapovijeda juriš Torcide, dok je s desne strane, gore, nebo nad stadionom ključalo vatrometom svih boja, a iznad semafora pucalo kao da je nacionalni praznik; po sredini, pak, iz zvučnika na obodu krova – točno između rascvjetalog neba i uskomešale zemlje, između veselih, šarenih prasaka i bolnih, neljudskih urlika – paklenim je festivalom vladao glas Miše Kovača: »Slušat ću kako se smiješ, gledat ću kako se budiš...«

Među policijskim čizmama oko sebe, nosa zabijenog u blatnjavu lokvu piva, betonske prašine i opušaka cigareta, vidio je Čombe kako glavonje iz lože pognuti bježe na sigurno, vidio je na tribini, ni desetak koraka daleko, onog čovjeka sa sinom kojemu je oduzeo plastični pištolj, vidio ga je kako diže malog i trči prema izlazu, a odmah do njega, u samom srcu kaosa, vidio je onog pravnika kako kleči na koljenima, i djevojku koja pokušava pobjeći, ali je tip drži za jaknu.

Čombe je osjetio novi udarac, grubo su ga podigli sa zemlje, čuo je policajca do sebe kako u toki-voki viče »Kurbaša, Kurbaša!« i Mišu Kovača kako pjeva »Odvest ću te na vjenčanje, ljuuubavi mojaaa«, vidio je pravnika kako i dalje na koljenima preklinje djevojku držeći u jednoj ruci nekakvu kutijicu, a drugom joj pokazujući na semafor, ali ona se ne osvrće i panično pokušava pobjeći.

Vidio je iza njihovih leđa veliki ekran, a na njemu golemim električnim slovima ispisano »Ivona, udaj se za mene«. U sljedećem trenutku krajičkom oka ugledao je Ivanku kako trči prema njemu gušeći se u suzama, šireći ruke i vičući: »Oću, ljubavi moja, znaš da oću!«.

Onda više nije vidio ništa.